adomania 1

Méthode de français

Corina Brillant • Sophie Erlich • Céline Himber

hachette
FRANÇAIS LANGUE ÉTRANGÈRE

www.hachettefle.fr

TV5MONDE

Crédits photographiques et droits de reproduction : voir la page 128.

Tous nos remerciements à :
– TV5MONDE et Évelyne Pâquier ;
– toute l'équipe du collège Massillon de Clermont-Ferrand, les collégiens et leurs parents ;
– Nelly Mous pour les pages DELF.

Couverture : Nicolas Piroux

Conception graphique : Anne-Danielle Naname – Sylvaine Collart pour les pages d'ouverture, Cultures et Ensemble pour.

Mise en pages : Anne-Danielle Naname

Secrétariat d'édition : Sarah Billecocq

Illustrations : Aurélien Heckler. Pages 90, 91, 98, 99, 103, 107 et 111 : Gabriel Rebufello. Personnage récurrent et personnages de jeux vidéo pages 17 et 21 : Christophe Le Guez.

ISBN 978-2-01-401522-5

© HACHETTE LIVRE, 2016
58, rue Jean Bleuzen, CS 70007, 92178 Vanves Cedex, France.

http://www.hachettefle.fr

Adomania est une méthode qui s'adresse à des adolescents débutant leur apprentissage du français comme langue vivante 1 ou 2.

Adomania 1 couvre une partie du niveau A1 du *Cadre européen commun de référence pour les langues* (CECRL). Prévu pour 50 à 60 heures de cours, le niveau 1 de la méthode prépare au DELF A1.

Adomania, apprendre ensemble

Pour aborder l'apprentissage d'une langue, la notion de groupe est importante : parce qu'une langue sert à **communiquer avec les autres** et parce que les élèves l'apprennent dans une classe, au contact d'autres élèves, et vivent cette aventure **ensemble**.

Pour donner envie aux adolescents d'apprendre le français et les mobiliser dans **une démarche collaborative**, *Adomania* leur propose **une perspective actionnelle** et les invite à franchir **8 étapes** successives, au parcours balisé de découvertes et d'activités à réaliser le plus souvent en interaction. Chaque étape aborde une thématique différente, proche de leur univers pour susciter leur intérêt, et se termine par la réalisation d'une **tâche collective** pour les maintenir dans **une dynamique d'action**.

Adomania, apprendre facilement

Adomania propose :

→ des parcours d'apprentissage courts et clairement repérables au sein des étapes : **1 leçon = 1 double page** ;

→ des **documents** – visuels, écrits et oraux (2 heures d'enregistrements) – **variés et centrés sur le vécu des adolescents**, pour aborder la langue de manière facile et vivante ;

→ un **travail sur la langue clair et contextualisé** qui s'accompagne d'**activités de systématisation** collaboratives ou individuelles, souvent ludiques, regroupées dans une double page d'entraînement ;

→ des **tableaux de langue** et des **encadrés de vocabulaire enregistrés** ;

→ une page « **Cultures** » inspirée de la presse pour ados et **adaptée au niveau de langue** des élèves ;

→ une **tâche collective facile à réaliser en classe** et proche des actions mises en œuvre par les ados dans la vie réelle ;

→ un **dispositif d'évaluation complet** avec une évaluation sommative des compétences en réception et en production à la fin de chaque étape et une évaluation de type DELF A1 toutes les deux étapes. Une évaluation formative (autoévaluation) est proposée en fin d'étape dans le cahier d'activités.

Adomania, composants et bonus

En bonus, pour chaque étape, *Adomania* offre aux élèves, curieux de découvrir la vie de collégiens français, **un documentaire vidéo original** en 8 séquences. Les fiches d'exploitation des vidéos, rédigées en collaboration avec TV5MONDE, sont disponibles sur le site enseigner.tv5monde.com.

En complément de ce livre de l'élève, le **cahier d'activités** permet de réviser à l'écrit et à l'oral, de s'autoévaluer et de réfléchir sur sa façon d'apprendre (astuces et stratégies). Il propose également 8 pages de disciplines non linguistiques (DNL). Quant au **guide pédagogique**, il met à disposition tous les corrigés, des conseils méthodologiques et des fiches d'activités photocopiables. Enfin, le manuel numérique enseignant propose **une fonctionnalité de classe virtuelle**, pour encore plus d'interactivité.

Adomania est née de notre réflexion et de notre expérience de professeures de FLE. Nous espérons qu'elle vous aidera, vos élèves et vous, à partager, ensemble, des moments riches en vitamines FLE !

Les auteures

Mode d'emploi d'une étape

102 piste audio du DVD-ROM inclus (mp3)

■ activité de production orale

Action! micro-tâche

Une page d'ouverture active

- - - Activités d'échauffement

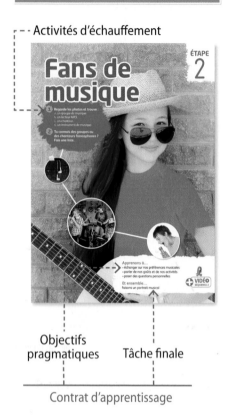

Objectifs pragmatiques   Tâche finale

Contrat d'apprentissage

Trois leçons d'apprentissage

Leçon 1 pour découvrir la thématique et le vocabulaire

Documents oraux et écrits - - - →

Production finale en interaction - - -

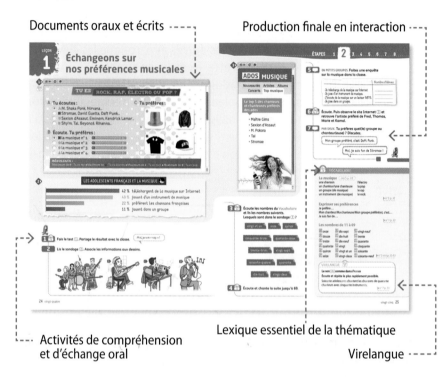

- - - Activités de compréhension et d'échange oral

Lexique essentiel de la thématique

Virelangue - - - -

Une double page « Cultures » et « Ensemble pour... »

- - - Rubrique culturelle en lien avec la thématique de l'étape

Activités de découverte et d'échange

Tâche collective finale

Renvoi à la vidéo

Activité de réflexion interculturelle

Co-évaluation de la tâche

Leçons 2 et 3 pour approfondir la thématique et travailler la langue

Activités de découverte de la langue

Compréhension des documents

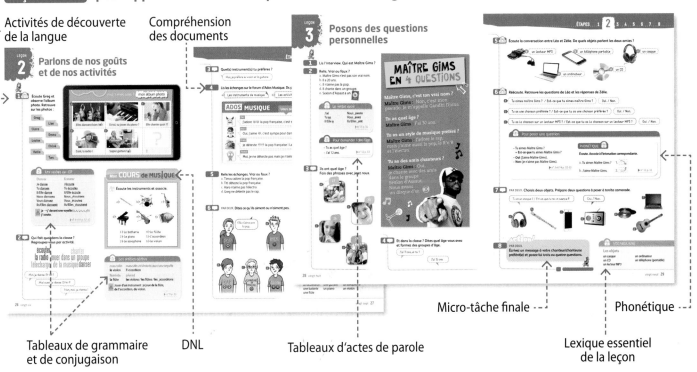

Tableaux de grammaire et de conjugaison

DNL

Tableaux d'actes de parole

Micro-tâche finale

Phonétique

Lexique essentiel de la leçon

Une double page « Entraînement »

Une page d'évaluation

Évaluation des compétences de compréhension (orale et écrite) et de production (orale et écrite). Notée sur 20 points.

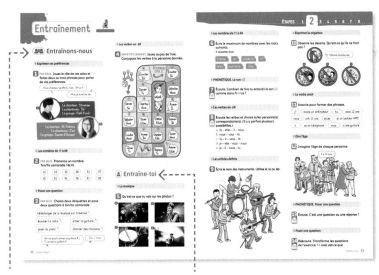

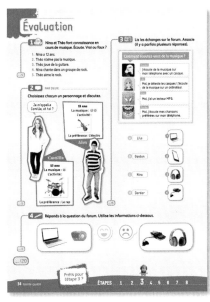

Exercices d'entraînement collectifs

Exercices d'entraînement individuels

+ Une préparation au DELF A1 toutes les deux étapes

Tableau des contenus

	Apprenons à...	Communication	Grammaire
ÉTAPE 0 p. 8	• Reconnaître nos connaissances linguistiques et culturelles en français • Comprendre quelques mots et messages simples	Communiquer en classe	
ÉTAPE 1 Faisons connaissance p. 11	• Dire et épeler nos noms et nos prénoms • Entrer en contact • Donner des informations personnelles **Tâche finale** → créer un profil pour un jeu vidéo	• Épeler • Dire son nom • Saluer et prendre congé • Se présenter et présenter quelqu'un (+ tu/vous) • Dire son adresse mail	• Le verbe *s'appeler* • *Qu'est-ce que c'est ? / C'est* • Les articles indéfinis • Le verbe *être*
ÉTAPE 2 Fans de musique p. 23	• Échanger sur nos préférences musicales • Parler de nos goûts et de nos activités • Poser des questions personnelles **Tâche finale** → faire un portrait musical	• Exprimer ses préférences • Parler de ses goûts • Demander et dire l'âge • Poser une question fermée	• Les verbes en *-er* • Les articles définis • La négation (1) • Le verbe *avoir* • La question intonative et la question avec *est-ce que*
ÉTAPE 3 Nous sommes tous frères ! p. 37	• Échanger sur nos différences • Présenter notre famille • Parler de notre nationalité **Tâche finale** → présenter la classe à des collégiens français	• Parler des liens familiaux • Parler de sa famille	• Les adjectifs possessifs • La négation (2) • L'accord des adjectifs • Les adjectifs de nationalité • Les pronoms toniques • Le pronom *on = nous*
ÉTAPE 4 Bougeons ! p. 49	• Parler de sport • Échanger sur nos activités sportives • Décrire des personnes **Tâche finale** → organiser une journée du Sport au collège	• Exprimer la fréquence • Poser des questions • Décrire physiquement	• Le verbe *faire* • *Faire* et *jouer* + article • La question *qu'est-ce que ?* (+ révision de *est-ce que*) • *C'est* ou *il/elle est*
ÉTAPE 5 Rendez-vous au collège p. 63	• Parler de la vie au collège • Parler de notre emploi du temps • Fixer un rendez-vous **Tâche finale** → imaginer un collège de rêve	• Dire la date • Demander et dire l'heure • Indiquer un horaire • Demander et donner une explication • Situer dans le temps • Fixer un rendez-vous	• Le verbe *aller* • *Pourquoi / parce que* • Les questions avec *où* et *quand* • *Il y a*
ÉTAPE 6 La mode et nous p. 75	• Parler de la mode • Parler de nos achats • Décrire notre style **Tâche finale** → créer le vêtement ou l'accessoire du collège	• Parler des ressemblances • Demander et dire le prix • Donner une appréciation	• Les adjectifs démonstratifs • Le verbe *pouvoir* • Les articles indéfinis et définis • La question avec *quel(le)(s)*
ÉTAPE 7 Chez nous p. 89	• Décrire notre logement • Organiser notre chambre • Parler de nos activités quotidiennes **Tâche finale** → imaginer un logement original	• Dire où on habite • Téléphoner et répondre au téléphone • Inviter chez soi	• Le verbe *venir* • Les prépositions de lieu • L'impératif pour donner des conseils • *Chez* + pronom tonique • Les verbes pronominaux
ÉTAPE 8 Partons en voyage ! p. 101	• Parler de destinations de rêve • Faire des projets de vacances • Raconter un voyage **Tâche finale** → préparer un voyage de classe	• Parler de ses rêves • Localiser • Parler du temps	• Le verbe *partir* • Le futur proche • Les prépositions devant les noms de pays, d'îles et de villes

DELF A1 ▶ [Préparation 1] p. 35 [Préparation 2] p. 61 [Préparation 3] p. 87 [Préparation 4] p. 113

Lexique	Phonétique	Mon cours de...	Cultures
• Les mots transparents • Les jours de la semaine • Les nombres de 0 à 10 • Les consignes et les objets de la classe			Quelques références culturelles françaises
• L'identité • Les personnes • Quelques mots d'Internet • Les salutations et les présentations	• La prononciation de l'alphabet • La liaison avec les articles indéfinis	**Informatique :** Dire son adresse mail	Pseudonymes et surnoms célèbres VIDÉO SÉQUENCE 1
• La musique • Les nombres de 11 à 69 • Les activités • Les goûts • Les instruments de musique • Les objets de technologie	• Le son [ɑ̃] • La question intonative	**Musique :** Les instruments de musique	La musique française, star internationale VIDÉO SÉQUENCE 2
• Les langues • La famille • Les lieux • La description (1) • Les nationalités • Les couleurs	• Le son [ɛ] • La discrimination du masculin et du féminin des adjectifs de nationalité	**Enseignement civique et moral :** Le respect de la différence	Les Français et les langues étrangères VIDÉO SÉQUENCE 3
• Les sports • Le corps • Les actions (sauter, marcher…) • La description physique (2) • Les sportifs/sportives	• Le son [R] • La prononciation du verbe *faire*	**Éducation physique et sportive :** Le matériel sportif	Le sport, c'est aussi dans la rue ! VIDÉO SÉQUENCE 4
• Le collège • Les mois et les saisons • L'emploi du temps • La journée • Les rendez-vous	• Les sons [b] et [v] • Les liaisons avec d, f et x	**Mathématiques :** Les heures, les minutes et les secondes	Jours de fête VIDÉO SÉQUENCE 5
• Les vêtements et les accessoires • Les nombres de 70 à 100 • Les achats • Le style • Les appréciations	• Les sons [y] et [u] • La prononciation du verbe *pouvoir*	**Arts plastiques :** Les techniques de dessin	La mode, quelle histoire ! VIDÉO SÉQUENCE 6
• Le logement, les pièces et les meubles • L'organisation • Les activités quotidiennes	• Les sons [s] et [z] • La prononciation du verbe *venir*	**Géométrie :** Calculer la surface	Drôles de maisons VIDÉO SÉQUENCE 7
• Les pays, les îles, les capitales et les continents • Les lieux • Les activités de vacances • Le temps et la température • Les points cardinaux	• Le son [ɔ̃] • Les consonnes finales muettes	**Géographie :** La France	Photos « mystère » VIDÉO SÉQUENCE 8

Testons nos connaissances

1 Écoute et lis. Tu comprends ces mots français ? Dessine-les.

taxi

CHOCOLAT

téléphone

télévision

professeur

bus

radio

2 Tu connais la France ? Associe.

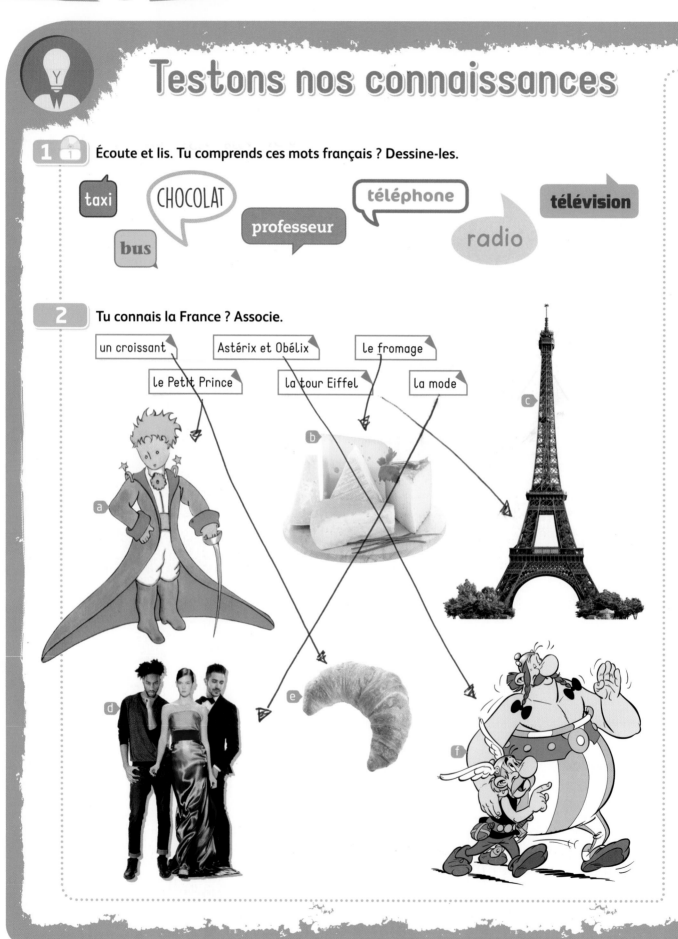

un croissant

Astérix et Obélix

le fromage

le Petit Prince

la tour Eiffel

la mode

a

b

c

d

e

f

la station

3 EN PETITS GROUPES. **Trouvez d'autres mots français.**

la station

FRANCE

le sandwich

la chaise

du café

la table

un ~~joue~~

joueur

le ballon

Explorons le français

lundi   mardi   mercredi   jeudi   vendredi   samedi

dimanche

1 **Écoute puis mets les jours de la semaine dans l'ordre.**

③ mercredi   ① lundi   ④ jeudi   ⑦ dimanche

⑤ vendredi   ⑥ samedi   ② mardi

2 | **3** Écoute et associe.

1 **4** **5** **9** **8** **10**

un quatre cinq neuf huit dix

3 **6** **7** **2** **0**

trois six sept deux zéro

(trois) (deux) (zéro) (six) (cinq) (neuf)

(quatre) (sept) (huit) (un) (dix)

3 | **4** AVEC LA CLASSE. **Réécoutez et chantez.**

Communiquons en classe

1 | **5** Écoute et répète. Puis mime comme sur les dessins.

2 | **6** Écoute le professeur et choisis les objets.

a Écoute !

b Regarde !

lundi, mardi, ...

c Parle !

d Lis !

e Écris !

f Je ne comprends pas !

a adomania — un livre

b un stylo

c un cahier

d un tableau

3 PAR DEUX. **Donne une consigne. Ton/Ta camarade fait ce que tu dis.**

Lis !

Le français...

Prêts pour l'étape 1 ?

ÉTAPES **1** 2 3 4 5 6 7 8

Faisons connaissance

1 Choisis deux bonnes réponses.
Sur les photos, il y a :
a. des élèves en classe.
b. des amis sur Internet.
c. des garçons et des filles.

2 Donne les prénoms
de trois amis.

Apprenons à...
- dire et épeler nos noms et prénoms
- entrer en contact
- donner des informations personnelles

Et ensemble...
créons un profil pour un jeu vidéo

VIDÉO
SÉQUENCE 1

Disons et épelons nos noms et prénoms

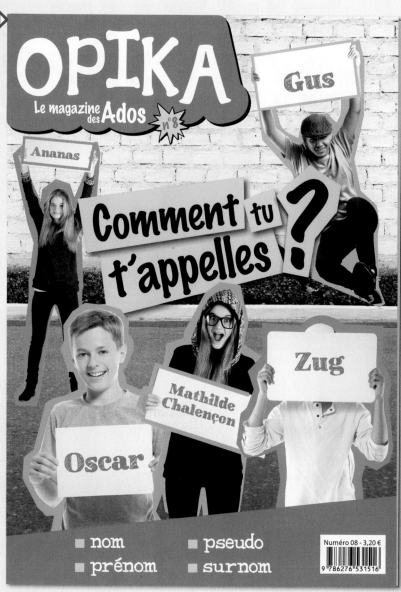

 1 Observe le site Internet ① et écoute les prénoms. Partage avec la classe ton/tes prénom(s) préféré(s).

 2 PAR DEUX. Écoute et répète l'alphabet. Choisis un prénom du document ① et épelle-le. Ton/Ta camarade l'écrit.

3 Observe le magazine ② et associe.

a un nom

b un prénom

c un pseudo

d un surnom

1 sur Internet

2 sur un passeport

3 pour les amis et la famille

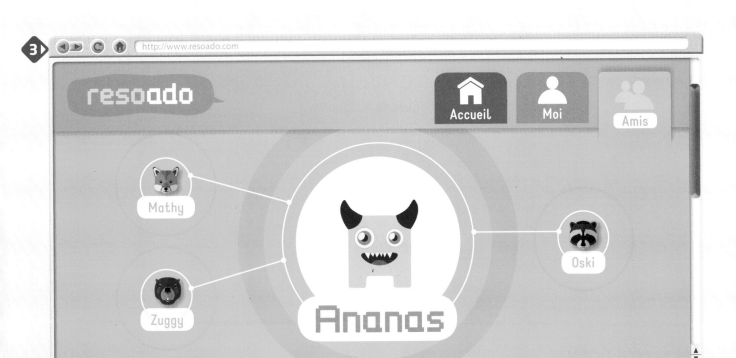

3 http://www.resoado.com

resoado

Accueil   Moi   Amis

Mathy

Zuggy

Ananas

Oski

---

4 🔊9 **Écoute. Retrouve sur le document ② deux prénoms, deux surnoms et un pseudo.**

> Mathilde, c'est un prénom !

5 🔊10 **Écoute et réponds.**
a. Dis le prénom de Gus, d'Ananas et de Zug.
b. Écris le nom de famille de Mathilde, d'Ananas et d'Oscar.

6 💬 PAR DEUX. **Épelle ton prénom et ton nom à ton/ta camarade. Puis dis ou invente ton surnom.**

> Je m'appelle Maxime, M-A-X-I-M-E, Pelletier, P-E-2L-E-T-I-E-R.
> Mon surnom, c'est Max.

7 🔊11 **Observe le site Internet ③. Associe les pseudos aux ados du document ②. Puis écoute pour vérifier.**

> Ananas, c'est le pseudo d'Anaïs !

8 💬 PAR DEUX. **Imaginez un pseudo pour Gustave. Votez avec la classe.**

> Le pseudo de Gustave, c'est...

🔊12 **VOCABULAIRE**

L'identité (f.)

un prénom
un nom (de famille)
un surnom
un pseudonyme / un pseudo

Les personnes (f.) DICO p. 115

un(e) adolescent(e) / un(e) ado
un(e) ami(e)
une fille
un garçon

Dire son nom

Je m'appelle…
Mon prénom/Mon nom, c'est…

▶ n° 1 p. 20

PHONÉTIQUE 🔊13

L'alphabet

A	B	C	D	E	F	G
H	I	J	K	L	M	N
O	P	Q	R	S	T	U
V	W	X	Y	Z

é   e accent aigu
è   e accent grave
ê   e accent circonflexe
ï   i tréma
ll   deux l
ç   c cédille

▶ n° 5 p. 21

Entrons en contact

1 🔊 14-15 **Écoute et lis. Puis associe les dialogues et les photos.**

a Bonjour madame Dubois !

Bonjour Paul, ça va ?

Oui, et vous ?

b Salut Nathan, ça va ?

Salut Camille ! Ça va, et toi ?

c Coucou les amis !

Salut ! Ça va Inès ?

d Salut, à demain !

Salut Léo !

e Au revoir monsieur !

Au revoir Sarah, au revoir Éva ! À bientôt !

2 **Lis ces deux phrases.**
Quelle situation est formelle ?

Quelle situation est informelle ?

Ça va, et toi ?

Oui, et vous ?

🔊 16 **Pour saluer**

Bonjour ! / Salut ! (informel) / Coucou ! (familier)
Ça va ?
Ça va, et toi ?/et vous ?

Pour prendre congé

Au revoir ! / Salut !   À demain ! / À bientôt !

▶ n° 6 p. 21

3 💬 EN PETITS GROUPES. **Choisissez une situation de l'activité 1 et dites-vous bonjour ou au revoir.**

4 **Observe les téléphones 1, 2 et 3 p. 14 et 15.**
Choisis la/les bonne(s) réponse(s).
Ce sont : a. des conversations.
          b. des présentations.
          c. des mails.

Paul

Coucou Paul !

Salut ! Je te présente un ami :

Comment il s'appelle ?

Il s'appelle Nino !

5 **Relis et réponds.**

a. Comment s'appelle l'ami de Paul ? l'amie de Nathan ?

b. Comment s'appellent les amis de Sarah ?

17 **Le verbe *s'appeler***

Je m'appelle	**Nous** nous appelons
Tu t'appelles	**Vous** vous appelez
Il/Elle s'appelle	**Ils/Elles** s'appellent

▶ n° 2 et 7 p. 20-21

18 **Pour se présenter**

– Je m'appelle Camille. Et toi, comment tu t'appelles ?
– Moi, c'est Louis.

Pour présenter quelqu'un

Je te/vous présente une amie.
Voici Nino.

▶ n° 8 p. 21

6 PAR DEUX. **Observez les dessins. Faites des phrases avec le verbe s'*appeler*.**

Jeanne. ▶ Je m'appelle Jeanne.

Lucas. Lucas.

a

Pauline et Noémie.

b

Arthur.

c

action!

7 AVEC LA CLASSE.

Mettez-vous en ligne par ordre alphabétique. Jouez à la chaîne des présentations.

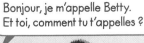

Bonjour ! Je m'appelle Alice.
Et toi, comment tu t'appelles ?

Bonjour, je m'appelle Betty.
Et toi, comment tu t'appelles ?

Bonjour ! Moi, c'est Anna.
Je te présente Betty. / Voici Betty.

19 VOCABULAIRE

Les salutations (f.)

Bonjour   Madame
Coucou   Monsieur
Salut
Au revoir

Les présentations (f.)

s'appeler
présenter
voici

LEÇON 3
Donnons des informations personnelles

1 🎧 20-21 **Observe et écoute.**
Adosocial, qu'est-ce que c'est ?

a. Un mail.
b. Un site Internet.
c. Un jeu vidéo.

ADOSOCIAL,

(moi) | amis | photos | vidéos | jeux

Profil
MARCOPOLO

ADRESSE MAIL :
polo-marconi@hotmail.fr

MOT DE PASSE :
****

2 🎧 20-21 **Réécoute. Associe les questions et les réponses.**

a) ⟩ Qu'est-ce que c'est ? Un mail ?

b) ⟩ Qu'est-ce que c'est, Adosocial ?

1) ⟩ C'est un site Internet pour les ados.

2) ⟩ Non, c'est un message sur Adosocial.

🎧 22 *Qu'est-ce que c'est ?*

C'est un site Internet.
Ce sont des photos.
▶ n° 3 p. 20

3 💬 PAR DEUX. **Pose des questions avec** *qu'est-ce que c'est*. **Ton/Ta camarade répond avec** *c'est/ce sont*.

un avatar	des messages
un mot de passe	un dessin / une photo
des mails	un code
un pseudo	un nom

Un avatar, qu'est-ce que c'est ?

C'est un dessin, une photo !

🎧 23 Les articles indéfinis

masculin	féminin	pluriel
un ami	**une** amie	**des** ami(e)s
un dessin	**une** photo	**des** dessins
		des photos

▶ n° 4 et 9 p. 20-21

PHONÉTIQUE 🎧 24

La liaison avec les articles indéfinis
Écoute.
Dis quand tu entends [n] ou [z] entre l'article et le nom.
▶ n° 10 p. 21

4 Observe chaque avatar. Qu'est-ce que c'est ? (Aide-toi du Vocabulaire.)

a

b

c

d

un garçon *un animal. c'est un chat.* *un dessin avec des gros bras* *un dessin (BD) de deux femmes.*

5 Lis le forum. Qui participe ?

Sujet : Sur Internet, tu es… ?

Husky Sur Internet, je suis un animal.

Girl1 Mon amie et moi, nous sommes Girl1 et Girl2 sur Internet.
Nos avatars sont des personnages de jeu vidéo.

Samy Moi, je suis moi. Mon avatar, c'est une photo de moi !

Vanille Mon avatar est un dessin ! Il est super !

6 PAR DEUX. **Relisez le forum. Retrouvez dans l'activité** 4 **les avatars de Husky, Samy, Vanille, Girl1 et Girl2.**

> L'avatar de Samy est une photo, c'est la photo a !

25 Le verbe *être*

Je **suis**	Nous **sommes**
Tu **es**	Vous **êtes**
Il/Elle **est**	Ils/Elles **sont**

▶ n°11 p. 21

7 Choisis un pseudo et un avatar et participe au forum.
Puis reconstituez le forum de la classe avec tous vos messages.

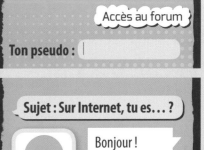

Accès au forum

Ton pseudo : |

Sujet : Sur Internet, tu es… ?

Bonjour !
Sur Internet,
je m'appelle |

Mon COURS d'INFORMATIQUE

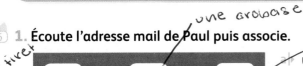

26 1. **Écoute l'adresse mail de Paul puis associe.**

un tiret *une arobase* *un point*

| - | @ | . |

a ▷ une arobase
b ▷ un point
c ▷ un tiret

2. PAR DEUX. **Dis ou imagine ton adresse mail. Ton/Ta camarade l'écrit.**

27 VOCABULAIRE

Internet (m.)

une adresse mail
un avatar
un jeu vidéo
un mail
un mot de passe
un site Internet

Autres mots

un animal
un dessin
un personnage
une photo   (DICO p. 115)

Molière

Coco Chanel

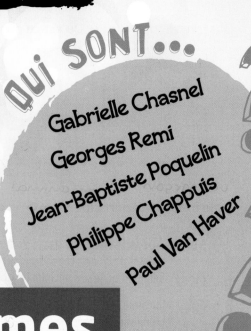

QUI SONT...

Gabrielle Chasnel

Georges Remi

Jean-Baptiste Poquelin

Philippe Chappuis

Paul Van Haver

biblio collège
Molière
Le Malade imaginaire

Pseudonymes et surnoms célèbres

Molière, Coco Chanel, Stromae, Zep ou Hergé sont des noms d'artistes célèbres. Mais ce sont des pseudos. Comment ils s'appellent vraiment ?

Surnoms

Hergé

Titi   Tipi (TP)   Ils sont célèbres et ils ont un surnom

Tony Parker

Thierry Dusautoir

HERGÉ
LES AVENTURES DE TINTIN
LES BIJOUX DE LA CASTAFIORE

EN PETITS GROUPES

1 🌍 Cherchez des pseudos d'artistes célèbres. Quel est leur vrai nom ?

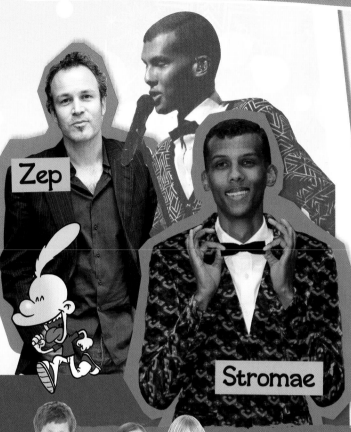

Zep

Stromae

2 Lis l'article. Retrouve les vrais noms de ces artistes célèbres.

▸ *Voici trois indices pour t'aider :*

Hergé : son pseudo, c'est la 1re lettre de son nom et la 1re lettre de son prénom.

Stromae : son nom de famille est composé de deux mots.

Zep : la 1re lettre de son vrai nom est un « C ».

3 Observe l'encadré « Surnoms ». Associe les noms et les surnoms.

PAR DEUX

4 Classez les personnes célèbres de la page dans ces catégories. Puis mettez en commun avec la classe.

| livres | sport | musique | mode |

▸ *Livres : Molière, ...*

ENSEMBLE POUR...

créer un profil pour un jeu vidéo

1 PAR DEUX Choisis un pseudo amusant pour ton/ta camarade.

> Tu t'appelles Lola... ton pseudo, c'est LOL !

2 Complète les informations suivantes pour créer le profil de ton/ta camarade.

INSCRIPTION   Fille ◯   Garçon ⦿

Prénom [_____]   Avatar

Adresse mail [_____]

Pseudo [_____]

Mot de passe [_____]

(8 caractères, lettres et chiffres)

ENVOYER

3 Vous êtes maintenant inscrits au jeu. Répondez chacun(e) au message de bienvenue !

Bonjour LOL, bienvenue dans le jeu !

Réponds au message :   Coucou !

4 Présente à la classe ton profil et ton message.

LA CLASSE DONNE SON AVIS SUR...

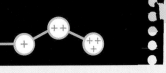

TON PSEUDO   TON MESSAGE

VIDÉO
SÉQUENCE 1

Entraînement

Entraînons-nous

▶ L'identité et les personnes

1 PAR DEUX. **Observez les documents et retrouvez un prénom de fille, un prénom de garçon, un nom de famille, un surnom et un pseudo.**

juju

Nathan

Inès
Dubois

max

▶ Le verbe *s'appeler*

2 EN PETITS GROUPES. **Choisis un pronom. Les autres disent la forme correcte du verbe s'appeler.**

je	tu	il

elle	nous	vous	ils	elles

je m'appelle
tu t'appelle
il/elle s'appelle
nous nous appellons
vous vous appellez
ils/elles s'appellent

▶ Qu'est-ce que c'est ?

3 PAR DEUX. **Regardez les dessins. Qu'est-ce que c'est ?**

un animal   un jeu vidéo   des amis

des livres   une adresse mail   des photos

un animal

des amis

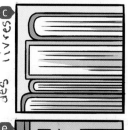
des livres

des photos

une adresse mail

un jeu vidéo

> Le dessin a, c'est un animal !

▶ Les articles indéfinis

4 PAR DEUX. **Choisis une étiquette. Ton/Ta camarade dit l'article correspondant (*un*, *une* ou *des*).**

une photo   *des* dessins   *des* personnages

des garçons

un prénom

une fille

un animal

> Une photo !

👤 Entraîne-toi

▶ PHONÉTIQUE. L'alphabet

5 Écoute les lettres et choisis la bonne réponse.

28

1. A E È
2. E I È
3. E I Y
4. O U Y
5. J Y G
6. È Ê É

▶ Saluer et prendre congé

6 Écoute et associe à la bulle correspondante.

29

Bonjour !   Au revoir !

▶ Le verbe *s'appeler*

7 Transforme avec le verbe *s'appeler*, comme dans l'exemple.

▶ *Mon prénom, c'est Paul !* > *Je m'appelle Paul !*

a. Toi, c'est Julie ?
b. Voici Valentin et Romain.
c. Nous, c'est Lucien et Nina !
d. Voici Emma.
e. Vous, c'est Alexis et Lola ?

▶ Se présenter et présenter quelqu'un

8 Fais trois phrases avec les éléments suivants. Puis associe à la bonne photo.

Moi,   Et toi,   Je   t'appelles ?
un ami.   tu   c'est   comment
vous   Léa.   présente

Et toi, …
Je…
Moi, …

▶ Les articles indéfinis

9 Les mots suivants sont masculins ou féminins ? Dis l'article correspondant.

a. nom   un
b. surnom   un
c. amie   une
d. jeu vidéo   un
e. adresse   une

a. masculin : un nom !

▶ PHONÉTIQUE. La liaison avec les articles indéfinis

10 Écoute et répète. Dis s'il y a une liaison.

30

a. des filles
b. des adresses
c. des mails
d. un ami
e. des avatars

des_amies
[z]

▶ Le verbe *être*

11 Fais des phrases avec le verbe *être*, comme dans l'exemple.

(tu / une super amie) ▶ Tu es une super amie !

a
(nous / amis)

(je / un personnage de jeu vidéo)

b

c

(mon ami / un animal)

(vous / super)
d

Évaluation

1 Écoute et choisis la bonne réponse.

a. Qui parle ?
1. Une fille et un garçon.
2. Deux garçons.
3. Deux filles.

b. Les prénoms des deux ados sont :

Tara	Éloi	Héloïse
Sarah	Élodie	Sasha

.../5

c. Les pseudos des deux ados sont :
1. Tatara et Lidodo.
2. Taratata et Elido.
3. Tatasara et Edoli.

d. Vrai ou faux ? Les deux ados :
1. sont amies de classe.
2. sont amies sur Internet.

2 💬 PAR DEUX.

Ton/Ta camarade complète ta fiche
d'inscription pour le site Internet du collège.
Donne tes informations personnelles.
Puis échangez les rôles.

Site Internet du collège
(Inscription)

Nom :
Prénom :
Fille ○   Garçon ○
Adresse mail :

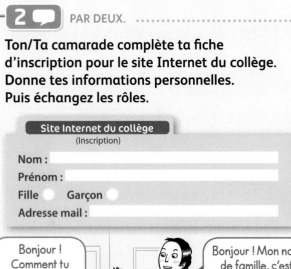

Bonjour !
Comment tu
t'appelles ?

Bonjour ! Mon nom
de famille, c'est
Alano :
A-L-A-N-O.
Mon prénom,
c'est...

.../5

3 ✏️ Participe à la conversation et présente un(e)/des ami(e)(s).

bijou21
Bonjour !
Je te présente
un camarade
de classe.
Il s'appelle
Antoine !

Soso
Salut !
Voici mes amis.
Ils s'appellent
Félix et Rose.
Ils sont super !

Moi
|

.../5

4 📖 Lis et réponds.

https://resoeleves.fr/

lilanou
lila.noury@hotmail.fr

cookie12   coucouCmoi   fifrelin

.../5

a. Observe le document. Qu'est-ce que c'est ?
1. Un profil sur Internet.
2. Un mail.
3. Un jeu sur Internet.

b. Cherche sur le document :
1. une adresse mail.
2. deux pseudos.
3. une adresse de site Internet.

.../20

Prêts pour
l'étape 2 ?

ÉTAPES   1   **2**   3   4   5   6   7   8

Fans de musique

1 Regarde les photos et trouve :
a. un groupe de musique.
b. un lecteur MP3.
c. un chanteur.
d. un instrument de musique.

2 Tu connais des groupes ou des chanteurs francophones ? Fais une liste.

Apprenons à...
• échanger sur nos préférences musicales
• parler de nos goûts et de nos activités
• poser des questions personnelles

Et ensemble...
faisons un portrait musical

+ **VIDÉO** ▶
SÉQUENCE 2

LEÇON 1

Échangeons sur nos préférences musicales

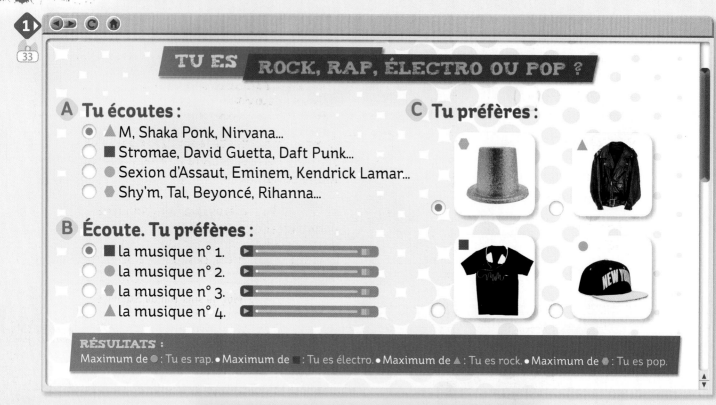

TU ES ROCK, RAP, ÉLECTRO OU POP ?

A Tu écoutes :
- ▲ M, Shaka Ponk, Nirvana...
- ■ Stromae, David Guetta, Daft Punk...
- ● Sexion d'Assaut, Eminem, Kendrick Lamar...
- ● Shy'm, Tal, Beyoncé, Rihanna...

B Écoute. Tu préfères :
- ■ la musique n° 1.
- ● la musique n° 2.
- ● la musique n° 3.
- ▲ la musique n° 4.

C Tu préfères :

RÉSULTATS :
Maximum de ● : Tu es rap. • Maximum de ■ : Tu es électro. • Maximum de ▲ : Tu es rock. • Maximum de ● : Tu es pop.

LES ADOLESCENTS FRANÇAIS ET LA MUSIQUE

- **42 %** téléchargent de la musique sur Internet
- **40 %** jouent d'un instrument de musique
- **22 %** préfèrent les chansons françaises
- **11 %** jouent dans un groupe

---

1 Fais le test ①. Partage le résultat avec la classe.

> Moi, je suis « rap » !

2 Lis le sondage ②. Associe les informations aux dessins.

3▶

ADOS MUSIQUE

Nouveautés   Artistes   Albums
Concerts   **Top musique**

Le top 5 des chanteurs et chanteuses préférés des ados

- Maître Gims
- Sexion d'Assaut
- M. Pokora
- Tal
- Stromae

3 34 **Écoute les nombres du Vocabulaire et lis les nombres suivants. Lesquels sont dans le sondage ② ?**

vingt et un   onze   quinze

cinquante-trois   quarante-deux

trente-trois   vingt-sept

soixante-quatre   quarante

dix-huit   vingt-deux

4 35 **Écoute et chante la suite jusqu'à 69.**

---

5 EN PETITS GROUPES. **Faites une enquête sur la musique dans la classe.**

	Nombre d'élèves
Je télécharge de la musique sur Internet.	....
Je joue d'un instrument de musique.	....
J'écoute de la musique sur un lecteur MP3.	....
Je joue dans un groupe.	....

6 36-37 **Écoute. Puis observe le site Internet ③ et retrouve l'artiste préféré de Fred, Thomas, Marie et Kamal.**

7 PAR DEUX. **Tu préfères quel(le) groupe ou chanteur(euse) ? Discutez.**

> Mon groupe préféré, c'est Daft Punk.

> Moi, je suis fan de Stromae !

---

38 **VOCABULAIRE**

La musique DICO p. 115

une chanson	l'électro (f.)
un chanteur/une chanteuse	la pop
un groupe (de musique)	le rap
un instrument (de musique)	le rock

▶ n° 5 p. 32

Exprimer ses préférences

Je préfère…
Mon chanteur/Ma chanteuse/Mon groupe préféré(e), c'est…
Je suis fan de…

▶ n° 1 p. 32

Les nombres de 11 à 69

11 onze	17 dix-sept	29 vingt-neuf
12 douze	18 dix-huit	30 trente
13 treize	19 dix-neuf	40 quarante
14 quatorze	20 vingt	50 cinquante
15 quinze	21 vingt et un	60 soixante
16 seize	22 vingt-deux	69 soixante-neuf

▶ n° 2 et 6 p. 32-33

VIRELANGUE 39

Le son [ã] comme dans *France*
Écoute et répète le plus rapidement possible.

Soixante adolescents chantent les chansons de quarante chanteurs avec cinquante instruments.

▶ n° 7 p. 33

Parlons de nos goûts et de nos activités

1 🎧 40-41 Écoute Greg et observe l'album photo. Retrouve sur les photos :

Greg

Lise

Clara

Emma

Louise

Chloé

Katia

Tom

moi | mes amis | **mon album photo**

a Elles dansent bien ! 👍

b Et toi, tu joues du piano ?

c Elle chante quoi ??

d Cool, la radio !

e Super guitare ! 👍

?

🔒 42 Les verbes en -ER

Danser	Écouter
Je dans**e**	J'écout**e**
Tu dans**es**	Tu écout**es**
Il/Elle dans**e**	Il/Elle écout**e**
Nous dans**ons**	Nous _écout**ons**
Vous dans**ez**	Vous _écout**ez**
Ils/Elles dans**ent**	Ils/Elles _écout**ent**

⚠️ *je ⊠ j'* devant une voyelle (**a, e, i, o, u, y**) : j'écoute.

▶ n° 4 et 8 p. 32-33

---

2 💬 Qui fait quoi dans la classe ? Regroupez-vous par activité.

écouter **la radio** **jouer dans un groupe** *chanter* **télécharger de la musique** **danser**

> Moi, je danse. Et toi ?

> Moi aussi, je danse. Et toi ?

> Non, moi, je chante !

Mon **COURS** de MUS**I**QUE

🎧 43 Écoute les instruments et associe.

a ▷   b ▷   c ▷

d ▷   e ▷   f ▷

1 ▷ la batterie	4 ▷ la flûte
2 ▷ le piano	5 ▷ l'accordéon
3 ▷ le saxophone	6 ▷ le violon

🔒 44 Les articles définis

masculin	masculin et féminin avec une voyelle
le violon	**l'**accordéon
féminin	**pluriel**
la flûte	**les** violons / **les** flûtes / **les** _accordéons

⚠️ Jouer **d'un** instrument : je joue **de la** flûte, **de l'**accordéon, **du** violon.

▶ n° 9 p. 33

3 **Quel(s) instrument(s) tu préfères ?**

> Moi, je préfère le violon et la guitare.

4 **Lis les échanges sur le forum d'Ados Musique. Ils parlent de quoi ?**

a⊳ Les instruments de musique   b⊳ Les activités   c⊳ Les goûts musicaux

---

ADOS MUSIQUE   Vous aimez la pop française ?

Titi
J'adore 😊😊 la pop française, c'est super pour danser !

Haro
Oui, j'aime 😊, c'est sympa pour danser, mais je préfère 😊😊 l'électro.

Greg
Je déteste 😕😕 la pop française ! Les chansons sont stupides ! Moi, j'adore 😊😊 le rap.

Timou
Moi, je ne déteste pas mais je n'aime pas 😐 les chansons en français.

---

5 **Relis les échanges. Vrai ou faux ?**
a. Timou adore la pop française.
b. Titi déteste la pop française.
c. Haro n'aime pas l'électro.
d. Greg ne déteste pas le rap.

45 Pour exprimer la négation (1)

Je **ne** déteste **pas** la pop.
Je **n'**aime **pas** les chansons en français.

⚠️ *ne* → *n'* devant une voyelle (a, e, i, o, u, y).

⊳ n° 10 p. 33

6 PAR DEUX. **Dites ce qu'ils aiment ou n'aiment pas.**

> Elle n'aime pas la pop.

7 **Écris un message sur le forum d'Ados Musique. Parle de tes activités et de tes goûts musicaux.**

Action !

46 VOCABULAIRE

Les activités (f.)

chanter	jouer
danser	télécharger
écouter	

Les goûts (m.)

aimer
adorer
détester

Les instruments de musique (m.)

un accordéon	une guitare	un saxophone
une batterie	un piano	un violon
une flûte		

Posons des questions personnelles

1 Lis l'interview. Qui est Maître Gims ?

2 Relis. Vrai ou faux ?
a. Maître Gims n'est pas son vrai nom.
b. Il a 20 ans.
c. Il n'aime pas la pop.
d. Il chante dans un groupe.
e. Sexion d'Assaut a un .

---

47 Le verbe *avoir*

J'ai	Nous_**avons**
Tu **as**	Vous_**avez**
Il/Elle **a**	Ils/Elles_**ont**

▶ n°11 p. 33

---

48 Pour demander / dire l'âge

– Tu **as** quel âge ?
– **J'ai** 12 ans. ▶ n° 12 p. 33

---

3 💬 Ils ont quel âge ?
Fais des phrases avec *je* et *nous*.

a — 11
b — 13
c — 15
d — 17

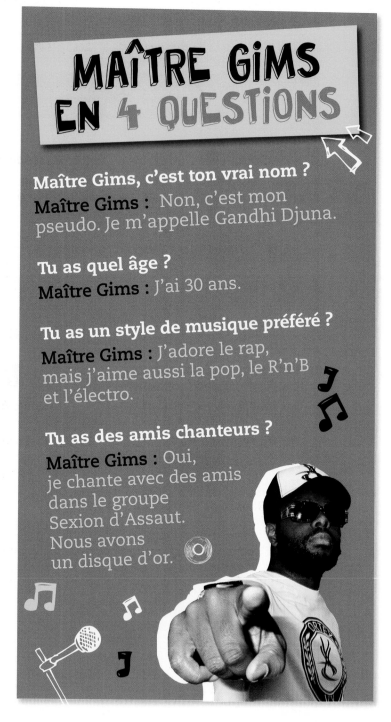

MAÎTRE GIMS EN 4 QUESTIONS

Maître Gims, c'est ton vrai nom ?
Maître Gims : Non, c'est mon pseudo. Je m'appelle Gandhi Djuna.

Tu as quel âge ?
Maître Gims : J'ai 30 ans.

Tu as un style de musique préféré ?
Maître Gims : J'adore le rap, mais j'aime aussi la pop, le R'n'B et l'électro.

Tu as des amis chanteurs ?
Maître Gims : Oui, je chante avec des amis dans le groupe Sexion d'Assaut. Nous avons un disque d'or.

4 💬 Et dans la classe ? Dites quel âge vous avez et formez des groupes d'âge.

J'ai 11 ans, et toi ?

J'ai 12 ans.

5 Écoute la conversation entre Léa et Zélie. De quels objets parlent les deux amies ?

a un lecteur MP3   b un téléphone portable   c un casque   d un ordinateur   e un CD

6 Réécoute. Retrouve les questions de Léa et les réponses de Zélie.

a Tu aimes maître Gims ? / Est-ce que tu aimes maître Gims ?   Oui. / Non.

b Tu as une chanson préférée ? / Est-ce que tu as une chanson préférée ?   Oui. / Non.

c Tu as la chanson sur un lecteur MP3 ? / Est-ce que tu as la chanson sur un lecteur MP3 ?   Oui. / Non.

---

51 Pour poser une question (1)

– Tu aimes Maître Gims ?
= **Est-ce que** tu aimes Maître Gims ?
– **Oui** (j'aime Maître Gims).
– **Non** (je n'aime pas Maître Gims).

▶ n° 3 et 14 p. 32-33

PHONÉTIQUE 52

Écoute. Associe à l'intonation correspondante.

a. Tu aimes Maître Gims ?   1. ↘

b. J'aime Maître Gims.   2. ↗   ▶ n° 13 p. 33

---

7 PAR DEUX. **Choisis deux objets. Prépare deux questions à poser à ton/ta camarade.**

Tu as un casque ? / Est-ce que tu as un casque ?   Oui. / Non.

a   b   c   d   e   f   g

---

8 **Action!** PAR DEUX.
Écrivez un message à votre chanteur/chanteuse préféré(e) et posez-lui trois ou quatre questions.

53 **VOCABULAIRE**

Les objets (m.)

un casque   un ordinateur
un CD   un téléphone (portable)
un lecteur MP3

La musique française
→ **star internationale**

Ils sont français. Ce sont des stars internationales.
Ils jouent de la musique ou chantent en français et en anglais.

→ **David Guetta** → **Daft Punk** → **Phœnix** → **Zaz**

a. Elle a 35 ans. Elle aime le jazz, le rock et le rap. Elle joue du violon, du piano et de la guitare.

b. Ils ont 41 et 42 ans. Ils aiment l'électro.

c. Il a 48 ans. Il aime l'électro et la pop.

d. Ils ont 39, 40 et 42 ans. Ils aiment le rock et la pop. Thomas chante, Laurent et Christian jouent de la guitare et Deck joue du piano.

Leurs chansons sont célèbres dans le monde entier.

? Gamine ?

Lovers on the sun

Entertainment

Get Lucky ??

// 17

1 Faites une liste des musiciens, groupes ou chanteurs que vous connaissez.

2 Lis l'article. Associe les noms des stars et leurs photos. Puis vérifie tes réponses avec les informations suivantes.

Zaz, c'est une chanteuse.
Phœnix, c'est un groupe. Ils sont quatre.
David Guetta, c'est un DJ.
Daft Punk, c'est un groupe. Ils sont deux.

3 Lis les indices. Associe les chansons de l'article et les artistes.

Zaz : Le titre de la chanson est en français et il a un mot.

Daft Punk : Le titre de la chanson n'est pas en français et il a deux mots.

Phœnix : Le titre de la chanson est en anglais et il a un mot.

David Guetta : Le titre de la chanson n'est pas en français.

4 Relis et trouve :
a. deux artistes qui aiment l'électro.
b. trois artistes qui jouent de la guitare.

EN PETITS GROUPES

5 Présentez à la classe un(e) artiste de l'activité **1** (style musical, chansons, instruments…).

ENSEMBLE POUR...

faire un portrait musical

1 EN PETITS GROUPES Faites une liste de questions sur la musique à poser à un(e) camarade.

> Tu as un groupe de musique préféré ?
> Est-ce que tu as un instrument de musique préféré ?
> Tu as des chansons préférées ?

2 PAR DEUX Pose les questions à un(e) camarade et note ses réponses.

> Nina : le piano, …

3 Écris les questions et dessine les réponses de ton/ta camarade sur une feuille.

> Tu as un instrument préféré ?

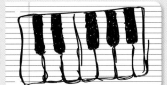

4 Affiche le portrait musical de ton/ta camarade. La classe devine qui c'est.

> Elle préfère le piano et écoute la musique avec son téléphone, c'est Nina !

LA CLASSE DONNE SON AVIS SUR...

TES QUESTIONS   + ++ ++   TON DESSIN   + ++ ++

VIDÉO
SÉQUENCE 2

Entraînement

👥 Entraînons-nous

▸ Exprimer ses préférences

1 PAR DEUX. **Jouez le rôle de ces ados et faites deux ou trois phrases pour parler de vos préférences.**

> Mon chanteur préféré, c'est... Et toi ?

> Moi, je suis fan de...

a

Le chanteur : Stromae
La chanteuse : Tal
Le groupe : Daft Punk

Le chanteur : M. Pokora
La chanteuse : Zaz
Le groupe : Sexion d'Assaut

b

▸ Les nombres de 11 à 69

2 PAR DEUX. **Prononce un nombre. Ton/Ta camarade l'écrit.**

(12) (16) (22) (28) (31) (37)

(45) (51) (54) (59) (61) (66)

▸ Poser une question

3 PAR DEUX. **Choisis deux étiquettes et pose deux questions à ton/ta camarade.**

télécharger de la musique sur Internet

écouter la radio   aimer la guitare

jouer du piano   chanter des chansons

> Est-ce que tu aimes la guitare ? /
> Tu aimes la guitare ?

> Oui. / Non.

▸ Les verbes en -ER

4 EN PETITS GROUPES. **Jouez au jeu de l'oie. Conjuguez les verbes à la personne donnée.**

👤 Entraîne-toi

▸ La musique

5 Qu'est-ce que tu vois sur les photos ?

a

b

c

d

▶ **Les nombres de 11 à 69**

6 Écris le maximum de nombres avec les mots suivants.

▶ *soixante-trois*

trente ▸   un ▸   soixante ▸   et ▸

trois ▸   quarante ▸   cinq ▸

▶ **PHONÉTIQUE. Le son [ã]**

7 Écoute. Combien de fois tu entends le son [ã] comme dans *France* ?

54

▶ **Les verbes en -ER**

8 Écoute les verbes et choisis la/les personne(s) correspondante(s). (Il y a parfois plusieurs possibilités.)

55

a. ils – elles – il – nous
b. nous – vous – ils
c. tu – il – vous – ils
d. je – elle – vous – nous
e. je – il – nous – tu

▶ **Les articles définis**

9 Écris le nom des instruments. Utilise *le, la* ou *les*.

▶ **Exprimer la négation**

10 Observe les dessins. Qu'est-ce qu'ils ne font pas ?

Elle ne chante pas.

a   b   c

▶ **Le verbe *avoir***

11 Associe pour former des phrases.

j'   avons un ordinateur   tu   avez 12 ans

nous   ont 11 ans   elles   ai un lecteur MP3

il   as un téléphone   vous   a une guitare

▶ **Dire l'âge**

12 Imagine l'âge de chaque personne.

Il a 16 ans.

▶ **PHONÉTIQUE. Poser une question**

13 Écoute. C'est une question ou une réponse ?

56

▶ **Poser une question**

14 Réécoute. Transforme les questions de l'exercice **13** avec *est-ce que*.

56

Évaluation

1 Nina et Théo font connaissance en cours de musique. Écoute. Vrai ou faux ?

1. Nina a 12 ans.
2. Théo n'aime pas la musique.
3. Théo joue de la guitare.
4. Nina chante dans un groupe de rock.
5. Théo aime le rock.

... /5

2 💬 PAR DEUX. ....

Choisissez chacun un personnage et discutez.

Je m'appelle Camille, et toi ?

Camille

13 ans
La musique : 😊
L'activité :

La préférence : le rap

11 ans
La musique : 😊😊
L'activité :

La préférence : l'électro

Alex

... /5   ... /5

3 📖 Lis les échanges sur le forum. Associe (il y a parfois plusieurs réponses).

Comment écoutez-vous de la musique ?

 Gaston
J'écoute de la musique sur mon téléphone avec un casque.

 Lilo
Moi, je déteste les casques ! J'écoute de la musique sur un ordinateur.

 Nino
Moi, j'ai un lecteur MP3.

 Dardar
Moi, j'écoute mes chansons préférées sur mon téléphone.

a Lilo   1

b Gaston   2

c Nino   3

d Dardar   4

4 Réponds à la question du forum (activité **3**). Utilise les informations ci-dessous.

... /5

... /20

Prêts pour l'étape 3 ?

ÉTAPES ..... 1 ..... 2 ..... **3** ..... 4 ..... 5 ..... 6 ..... 7 8

1 Compréhension de l'oral

Regarde les dessins puis écoute deux fois les cinq dialogues. Associe les dialogues et les dessins.

Dialogue 1   Dialogue 2   Dialogue 3   Dialogue 4   Dialogue 5

.../10

2 Compréhension des écrits

Tu as une nouvelle amie. Lis le message ci-dessous et réponds aux questions.

De : emmalatour@hotmail.be

À : Moi

Objet : Présentations

Salut,
Je m'appelle Emma Latour. J'ai 13 ans. Et toi, tu as quel âge ? J'adore la pop et l'électro.
Je déteste le rap. Je suis fan de Stromae. Tu connais ce chanteur ? Tu aimes quel style de musique ?
Le samedi, j'ai un cours de musique. Je joue du saxophone. Et toi, tu joues d'un instrument ?
À bientôt !
Emma

1. Quel est le prénom de ta nouvelle amie ?

2. Elle a quel âge ?

3. Elle n'aime pas :
   a le rap.
   b la pop.
   c l'électro.

4. Elle a un cours de musique quel jour ?

5. Elle joue de quel instrument ?

.../10

3 ✎ Production écrite

Exercice 1 ▸ remplir un formulaire   .../10

Complète cette fiche d'inscription à un cours de musique.

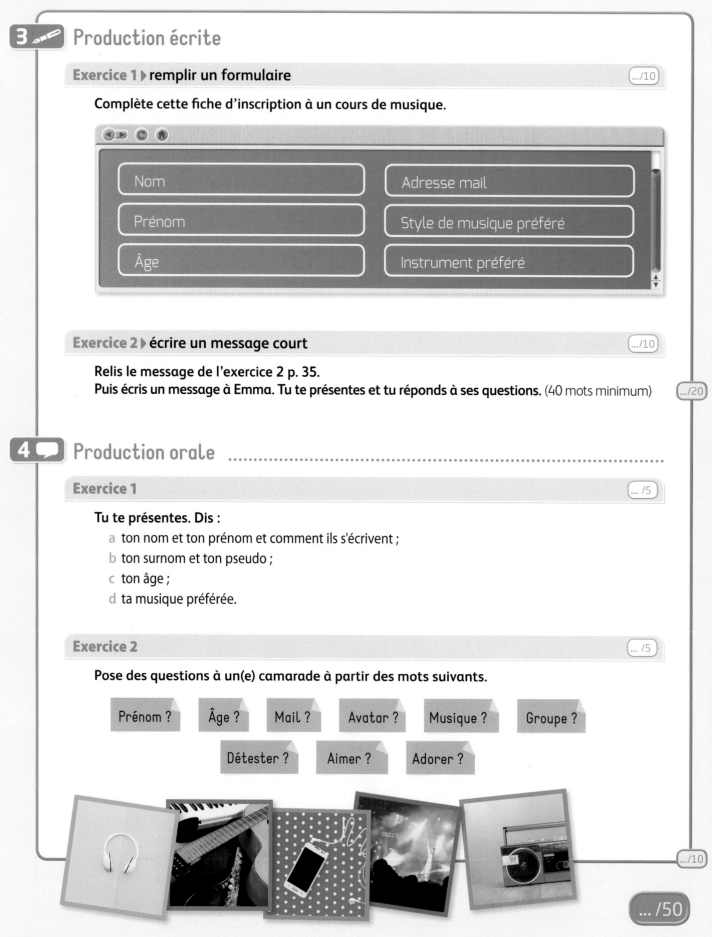

Nom

Adresse mail

Prénom

Style de musique préféré

Âge

Instrument préféré

Exercice 2 ▸ écrire un message court   .../10

Relis le message de l'exercice 2 p. 35.
Puis écris un message à Emma. Tu te présentes et tu réponds à ses questions. (40 mots minimum)

.../20

4 💬 Production orale

Exercice 1   ... /5

Tu te présentes. Dis :
- a ton nom et ton prénom et comment ils s'écrivent ;
- b ton surnom et ton pseudo ;
- c ton âge ;
- d ta musique préférée.

Exercice 2   ... /5

Pose des questions à un(e) camarade à partir des mots suivants.

Prénom ?   Âge ?   Mail ?   Avatar ?   Musique ?   Groupe ?

Détester ?   Aimer ?   Adorer ?

.../10

... /50

Nous sommes tous frères !

1 Retrouve sur les photos :
a. des drapeaux.
b. une famille.
c. un arbre généalogique.

2 Dessine le drapeau de ton pays.

Apprenons à...
• échanger sur nos différences
• présenter notre famille
• parler de notre nationalité

Et ensemble...
présentons la classe
à des collégiens français

VIDÉO
SÉQUENCE 3

1 Observe le magazine ①.
Retrouve les langues suivantes.

Le français | L'anglais | L'espagnol

Le hindi | Le chinois (mandarin)

2 60-61 Écoute. Retrouve le top 5 des langues du monde.

3 Et dans la classe, vous parlez d'autres langues ?

Elena parle espagnol !

4 Observe le document ②.
Choisis les deux bonnes réponses.

a. Les deux familles sont les personnages d'une série télé.

b. Les deux familles sont les personnages d'un livre.

c. Christophe Lepic a deux sœurs.

d. Tiphaine Bouley a deux frères.

Lisa est trilingue :
elle parle français,
italien, roumain.

Amis de classe,

amis du monde

Sung parle
coréen
à la maison.

À l'école, nous parlons français. Et à la maison ?

Younes
est bilingue
français-arabe.

Marion parle français
en famille et à l'école.

---

5 PAR DEUX. **Choisis un personnage du document** ② **et fais-le deviner à ton/ta camarade.**

C'est la sœur de Salomé. | Tiphaine !

6 Lis l'affiche ③.
Quelle est la différence entre les élèves ?

7 Relis. Trouve quelle(s) langue(s) ils parlent :

a à l'école   **b** à la maison

8 PAR DEUX. **Trouvez des différences entre vous.**

Lina parle italien à la maison.
Moi, je parle espagnol.

Elle a une sœur.
Moi, j'ai deux frères.

62
VOCABULAIRE

Les langues du monde

l'anglais	le français
l'arabe	le hindi
le chinois / le mandarin	l'italien
le coréen	le roumain
l'espagnol	

La famille (1) DICO p. 116

les parents (m.)	le fils / la fille
le père / la mère	le frère / la sœur
les enfants (m.)	

Les lieux (m.)

l'école (f.)
la maison

Parler des liens familiaux

C'est la sœur **de** Tiphaine.
Le père **de** Charlotte s'appelle Renaud.

▶ n° 1 et 5 p. 46-47

VIRELANGUE 63

Le son [ɛ] comme dans *roum*ain
Écoute et répète le plus rapidement possible.

Benjamin parle mandarin, Romain aime
le coréen et Lucien est bilingue italien-roumain !

▶ n° 6 p. 47

LEÇON

2

Présentons notre famille

1　**Observe l'album photos. Qui sont Paul, Claire et Valentin pour Flore ?**

▶ *Paul est le père de Flore.*

Ma famille de la Martinique

Léontine et Jacques
Mes grands-parents de la Martinique

Paul et Claire

Mathieu et Cécile

Mon oncle et ma tante de la Martinique

Valentin　Flore = Moi

Marie = Ma super cousine ♥

MARTINIQUE
FORT-DE-FRANCE

2　　**64-65**　**Observe encore et écoute Flore. Corrige les phrases.**

▶ ~~*C'est la famille de mon père.*~~
> *C'est la famille de ma mère.*

a　(Ils ne sont pas français ?)

b　(Tes parents habitent à la Martinique ?)

c　(Oui, et mon grand-père et ma grand-mère aussi. Avec leur fils.)

d　(Mais j'ai un super cousin !)

e　(Non, mais j'adore ma sœur !)

66　**Les adjectifs possessifs**

		singulier	pluriel
	masculin	**féminin**	**masculin et féminin**
(Je)	**mon** oncle	**ma** tante	**mes** oncles/**mes** tantes
(Tu)	**ton** oncle	**ta** tante	**tes** oncles/**tes** tantes
(Il/Elle)	**son** oncle	**sa** tante	**ses** oncles/**ses** tantes
(Nous)	**notre** oncle/**notre** tante		**nos** oncles/**nos** tantes
(Vous)	**votre** oncle/**votre** tante		**vos** oncles/**vos** tantes
(Ils/Elles)	**leur** oncle/**leur** tante		**leurs** oncles/**leurs** tantes

⚠️ *ma/ta/sa* + **voyelle** > *mon/ton/son* : mon am**i**e, ton am**i**e

▶ n°2 et 7 p. 46-47

3　💬　PAR DEUX. **Pose deux questions sur la famille de Flore. Ton/Ta camarade répond avec un adjectif possessif.**

(Est-ce que Flore est la fille de Claire et Paul ?)

(Oui, c'est leur fille !)

4 **Réécoute. Choisis ce que Flore n'a pas.**

a. un frère   c. une grand-mère   e. une cousine

b. une sœur   d. un grand-père   f. un cousin

5 💬 **PAR DEUX. Parlez de votre famille.**

> Moi, je n'ai pas de frère ; j'ai trois sœurs !

 Pour exprimer la négation (2)

J'ai **un** frère. – Je **n'**ai **pas de** frère.

J'ai **deux/des** sœurs. – Je **n'**ai **pas de** sœur.

J'ai **un** oncle. – Je **n'**ai **pas d'**oncle.

▶ n° 8 p. 47

6 **Observe cette page de l'album de Flore. Marie est comment ?**

Marie, ma cousine adorée ♥

Elle est belle et elle est drôle. 😊

Marie est importante ♡ ♥ pour moi.

Elle est grande et, moi, je suis petite !

Mes nouveaux amis : Joachim et Noah, les copains de Marie.

Nous sommes différentes et c'est super !

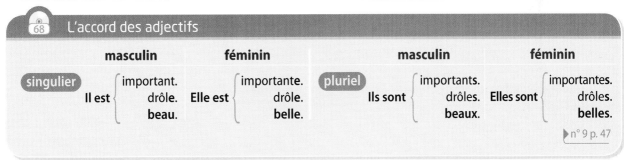

68 **L'accord des adjectifs**

	masculin		féminin			masculin		féminin
singulier Il est	important. drôle. beau.		**Elle est** importante. drôle. belle.		**pluriel** Ils sont	importants. drôles. beaux.		**Elles sont** importantes. drôles. belles.

▶ n° 9 p. 47

7 **Présente à la classe une personne de ta famille. Utilise des adjectifs.**

> Mon frère : il est petit, c'est un bébé...

 **Action!**

8 **EN PETITS GROUPES.**

Choisissez une personne célèbre et créez une page de son album de famille. Présentez-la à la classe.

69 **VOCABULAIRE**

La famille (2) DICO p. 116

les grands-parents (m.)

le grand-père / la grand-mère

l'oncle / la tante

le cousin / la cousine

La description

Il/Elle est comment ?

beau/belle

différent(e)

drôle

grand(e)

important(e)

nouveau/nouvelle

petit(e)

▶ n° 2 p. 46

Parlons de notre nationalité

1 🔒70 **Observe le site Internet et écoute. Associe les correspondants.**

▶ *Aiko a un correspondant chinois : c'est Lei.*

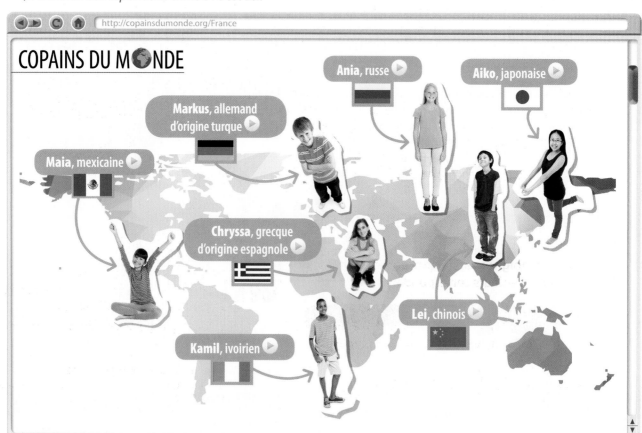

http://copainsdumonde.org/France

COPAINS DU MONDE

Ania, russe ▶

Aiko, japonaise ▶

Markus, allemand d'origine turque ▶

Maia, mexicaine ▶

Chryssa, grecque d'origine espagnole ▶

Lei, chinois ▶

Kamil, ivoirien ▶

🔒71 Les adjectifs de nationalité

singulier		pluriel
masculin	**féminin**	
Il est espagn**ol**	Elle est espagn**ole**	Les adjectifs de nationalité prennent un *–s*.
mexi**cain**	mexi**caine**	Ils sont espagnols.
chin**ois**	chin**oise**	Elles sont espagnole**s**.
japon**ais**	japon**aise**	
ivoir**ien**	ivoir**ienne**	⚠️ Il est japon**ais**.
alleman**d**	alleman**de**	> Ils sont japon**ais**.
russ**e**	russ**e**	
gre**c**	gre**cque**	▶ n° 3 et 10 p. 46-47
tur**c**	tur**que**	

PHONÉTIQUE 🔒72

Écoute. Dis si tu entends une différence entre le féminin et le masculin.

▶ n° 11 p. 47

2 💬 **Et dans la classe, vous avez des nationalités ou des origines différentes ?**

> Je suis espagnole. Mon grand-père est d'origine chinoise.

3
DICO p. 116
Regarde encore les ados de l'activité 1. Les drapeaux sont de quelles couleurs ?

▶ *Le drapeau ivoirien est orange, blanc et vert.*

4 💬 **Le drapeau de ton pays est de quelle(s) couleur(s) ?**

5 **Lis les témoignages de Romane et Antonin. Trouve :**
a. la nationalité de leur(s) correspondant(s).
b. quelle langue ils parlent avec leur(s) correspondant(s).

http://copainsdumonde.org/France

TÉMOIGNAGES DE COPAINS DU M🌐NDE !

Sur copainsdumonde, j'ai une correspondante mexicaine et, avec elle, je parle espagnol. On parle de nos différences, de nos familles. On échange des photos de nous. C'est très intéressant !

Romane, 12 ans

Moi, j'ai deux correspondants : un chinois et un turc. Je parle anglais avec eux. On parle de la vie, de l'école, de la maison… Tout est différent pour eux et pour moi !

Antonin, 11 ans

Toi aussi, parle de ton expérience !

ENVOYER

73 Les pronoms toniques

pour
avec + ⎡ moi
de/d' ⎢ toi
⎢ lui
⎢ elle
⎢ nous
⎢ vous
⎢ eux
⎣ elles

⚠ **Moi,** j'ai une correspondante anglaise. Et **toi** ?

▶ n°12 p. 47

6 **Relis les témoignages. De quoi parlent Romane et Antonin avec leurs correspondants ?**

74 Le pronom *on*

on (3ᵉ personne du singulier) = **nous** (1ʳᵉ personne du pluriel)

On parle anglais. = **Nous** parlons anglais.

▶ n°13 p. 47

Action !

7 **Choisis un ou deux correspondant(s) dans l'activité 1. Écris ton témoignage pour le site « Copains du monde ».**

Moi, j'ai une correspondante russe. Avec elle, je…

Mon C🌐URS d'ECM*

Le respect de la différence, qu'est-ce que c'est ? Choisis.

a Dans la famille de ma copine italienne, tout est différent, ce n'est pas un problème !

b Je ne parle pas à mon camarade de classe : c'est un étranger.

c Je suis un garçon ; je n'aime pas parler avec les filles.

d Mes copains et moi, on parle des langues différentes, c'est super !

*enseignement civique et moral

75 VOCABULAIRE

Les nationalités (f.)

allemand(e)	ivoirien/ivoirienne
brésilien/brésilienne	japonais(e)
chinois(e)	mexicain(e)
espagnol(e)	russe
grec/grecque	turc/turque

Les couleurs (f.) (DICO p. 116)

blanc/blanche	orange
bleu(e)	rouge
jaune	vert(e)
noir(e)	

Les personnes (f.)

un étranger, une étrangère
un(e) correspondant(e)
un copain, une copine

▶ n° 3 et 4 p. 46

CULTURES

LES FRANÇAIS N'AIMENT PAS LES LANGUES ÉTRANGÈRES

VRAI OU FAUX ?

VRAI !

À l'école, les adolescents étudient deux langues étrangères : une LV*1 et une LV2 (anglais, allemand, espagnol...). **14 %** des élèves parlent bien la LV1 et **11 %** parlent bien la LV2. **40 %** ne parlent pas bien la LV1.

* Langue vivante

FAUX !

Les Français parlent des langues étrangères tous les jours : **13 %** du vocabulaire français est d'origine étrangère !

Voici des exemples.

le chocolat un
un **un bus** chiffre
groupe un avatar
un accordéon

1 Dans ton pays, quelles langues étrangères on étudie à l'école ?

2 Lis l'enquête et réponds.
a. Les adolescents français étudient une ou deux langue(s) étrangère(s) à l'école ?
b. Est-ce que les adolescents français sont bons en langues étrangères ?
c. Est-ce qu'il y a des mots d'origine étrangère dans la langue française ?

3 Imagine l'origine des six mots donnés dans l'enquête. Puis lis pour vérifier tes réponses.
a. De l'arabe صفر, şifr.
b. Mot de 3 lettres d'origine anglaise.
c. De l'allemand *akkordeon*.
d. Du sanskrit (Inde) अवतार, *avatāra*.
e. De l'espagnol *chocolate*.
f. De l'italien *gruppo*.

EN PETITS GROUPES

4 Faites une liste de mots d'origine étrangère utilisés dans votre langue. Puis mettez en commun avec la classe.

ENSEMBLE POUR...
présenter la classe à des collégiens français

1 EN PETITS GROUPES Écrivez un texte de présentation générale de votre classe.

> Bonjour, nous sommes une classe de 28 élèves. Nous sommes mexicains et nous étudions le français à l'école...

2 Chaque membre du groupe écrit un texte pour se présenter. Corrigez les textes ensemble.

> Je m'appelle Juan.
> Je suis mexicain mais mes parents sont d'origine française.
> Nous parlons français à la maison !...

3 Lisez votre présentation générale et vos textes individuels à la classe.

4 AVEC LA CLASSE Votez pour le meilleur texte de présentation générale. Puis choisissez comment présenter votre classe à une classe française.

> Bonjour, nous sommes une classe de 28 élèves. Nous sommes mexicains et nous étudions le français à l'école. Moi, je m'appelle...

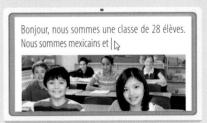

> Bonjour, nous sommes une classe de 28 élèves. Nous sommes mexicains et |

LA CLASSE DONNE SON AVIS SUR...

| LE TEXTE DE PRÉSENTATION GÉNÉRALE (1) | LES PRÉSENTATIONS DES GROUPES (2) |

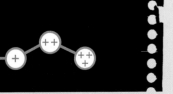

VIDÉO
SÉQUENCE 3

Entraînement

👥 Entraînons-nous

▸ Les langues du monde

1 **PAR DEUX.** Trouvez le nom de cinq langues.
▸ *hin > le hindi*

| hin | ang | esp | ara | ita | chi |

▸ La famille (2) / Les adjectifs possessifs

2 **PAR DEUX.** Choisis sur les photos : des cousines, un oncle, une tante et des grands-parents. Ton/Ta camarade te pose des questions.

> Martine, c'est ta grand-mère ?

> Non, ma grand-mère, c'est Hélène.

Stéphane et Sarah

Valérie et Philippe

Pauline et Alice

Élise et Jeanne

Hélène et Jean

Martine et Pierre

▸ Les adjectifs de nationalité

3 **AVEC LA CLASSE.** Choisis une nationalité dans la liste. Puis échange avec tes camarades et regroupez-vous par nationalité.

> Tu es brésilien ?

> Non, je suis anglais.

| brésilien | anglais | espagnol | russe |
| suédois | portugais | américain |

▸ Les couleurs

4 **PAR DEUX.** Choisis un drapeau et dis ses couleurs. Ton/Ta camarade devine le drapeau.

 a — Le drapeau européen

Le drapeau sud-africain — b

 c — Le drapeau tanzanien

Le drapeau brésilien — d

 e — Le drapeau indien

Le drapeau marocain — f

👤 Entraîne-toi

▸ La famille (1)

5 Observe la famille ci-dessous puis lis les phrases p. 47. Vrai ou faux ?

Catherine — Hugo — Pascal — Étienne — Camille — Jules — Clémence

a. Pascal a deux fils.

b. Jules est le frère de Clémence.

c. Hugo a trois sœurs.

d. Catherine est la mère de Pascal, Jules et Étienne.

e. Les parents de Camille s'appellent Pascal et Catherine.

f. C'est une famille de cinq enfants.

▶ PHONÉTIQUE. Le son [ɛ̃]

6 Lis les mots à voix haute. Dis quand tu entends le son [ɛ̃] comme dans cop*ain*.

 Martin   cousin    brésilienne

 Étienne   coréen   italien

▶ Les adjectifs possessifs

7 Transforme comme dans l'exemple.

▶ *C'est le fils de Paul.* > *C'est son fils.*

a. C'est la grand-mère de Sophie.

b. C'est l'album photos de ma sœur et moi.

c. C'est la famille de mes copains.

d. Ce sont les vidéos d'Emma.

e. C'est l'amie de ma cousine.

f. Ce sont les parents de Martin et Émile.

▶ Exprimer la négation

8 Réponds avec une phrase négative.

▶ *Léon a un frère ?* > *Non, il n'a pas de frère.*

a. Charlotte a une amie française ?

b. Vous avez des photos de famille ?

c. Tu as des cousines ?

d. Elle regarde une vidéo de ses parents ?

e. Léo a un oncle à la Martinique ?

▶ L'accord des adjectifs

9 Choisis l'adjectif correct.

a. Elles sont *petites / belle / grands*.

b. Ils parlent des langues *différents / différentes / important*.

c. Il a un cousin très *importante / grand / belles*.

d. Elle est *belle / drôles / grands*.

e. Mes copains sont *importants / belles / différent* !

f. Elles sont très *grande / beau / différentes*.

▶ Les adjectifs de nationalité

10 Continue comme dans l'exemple.

▶ *Mon père est américain.* > *Ma mère est américaine, nous sommes américains.*

a. Mon père est allemand.

b. Mon père est sénégalais.

c. Mon père est espagnol.

d. Mon père est chinois.

e. Mon père est russe.

f. Mon père est tunisien.

▶ PHONÉTIQUE. Les adjectifs de nationalité

11 Écoute. Tu entends le féminin, le masculin ou les deux ?

🔊 76

▶ Les pronoms toniques

12 Associe.

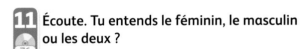

Eux,   Vous,   Elles,   Moi,   Toi,   Lui,

elles sont sœurs.   il parle anglais.

j'ai un grand-père italien.   ils sont cousins.

vous avez un correspondant ?   tu es coréen ?

▶ Le pronom on

13 Transforme comme dans l'exemple.

▶ *Nous avons un frère.* > *On a un frère.*

a. Nous sommes espagnols.

b. On parle français.

c. On aime les langues.

d. On habite à la Martinique.

e. Nous adorons notre petit frère.

Évaluation

1 77-78 **Écoute et associe.**

1. des parents français.

a. Anastasia a…
2. des cousins anglais.

b. Wassim a…
3. un grand-père russe.

c. Laura a…
4. un père italien.

5. une mère tunisienne.

… /5

2 💬 PAR DEUX.

Pose cinq questions à ton/ta camarade sur sa famille.

Comment s'appellent tes grands-parents ?

Ta mère a des frères et des sœurs ?

… /5

3 📖 **Lis le mail et réponds.**

De : Thomas

À : copains

Salut les copains !
Je suis dans la famille de mon correspondant espagnol ! C'est super !
Tout est nouveau et différent pour moi : la vie de famille, la maison, l'école.
Pablo a une grande famille : deux petites sœurs et un grand frère. Ses parents parlent français, c'est super pour moi ! Mais, dans la classe de Pablo, on parle espagnol et je ne comprends pas bien ses amis…
À la maison, avec Pablo, on écoute de la musique espagnole, on joue à des jeux vidéo.
Et vous, ça va, la vie chez vos correspondants ?
Thomas

a. Qui est Pablo pour Thomas ?

b. Vrai ou faux ? Dans la famille de Pablo, il y a quatre enfants.

c. Associe.

Thomas parle   français ●   ● avec les amis de Pablo.

espagnol ●   ● avec les parents de Pablo.

d. Trouve deux activités de Pablo et Thomas à la maison.

… /5

4 ✏️ ·······························

Tu es dans la famille de ton/ta correspondant(e). Réponds au mail de Thomas.

De : Moi

À : Thomas

|

… /5

… /20

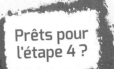
Prêts pour l'étape 4 ?

Bougeons !

1 Cherche sur les images :
a. du hip-hop.
b. un ballon.

2 « Bouger », c'est :
a. rester à la maison.
b. jouer.
c. faire des mouvements.
d. faire du sport.

Apprenons à...
• parler de sport
• échanger sur nos activités sportives
• décrire des personnes

Et ensemble...
organisons une journée du Sport au collège

+ **VIDÉO** ▶
SÉQUENCE 4

Parlons de sport

QUIZ

1 Le « sport national » en France, c'est :
a. le football.
b. la natation.
c. le basket.

2 À l'école, les ados français font :
a. deux heures de sport par semaine.
b. trois heures de sport par semaine.
c. quatre heures de sport par semaine.

3 Quel sportif n'est pas français ?
a. Tony Parker
b. Alexandre Lacazette
c. David Beckham

1-a | 2-c | 3-c

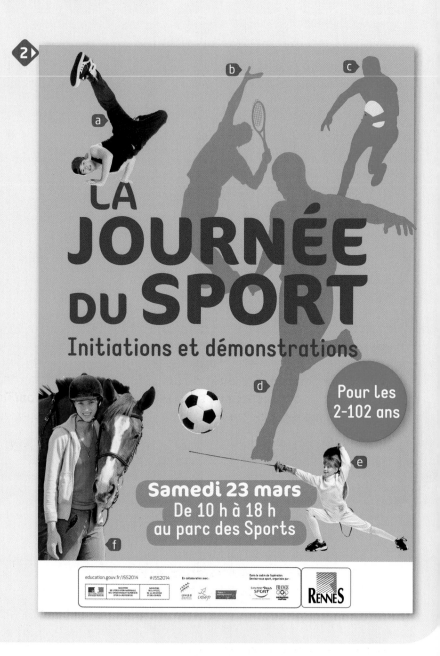

LA **JOURNÉE DU SPORT**
Initiations et démonstrations

Pour les 2-102 ans

Samedi 23 mars
De 10 h à 18 h
au parc des Sports

education.gouv.fr / JSS2014   #JSS2014   En collaboration avec :   Dans le cadre de l'opération Sentez-vous sport, organisée par

RENNES

---

1 PAR DEUX. **Faites le quiz** ①**.** Puis vérifiez vos réponses et partagez avec la classe.

2 Observe l'affiche ②**.** Qu'est-ce qui se passe le samedi 23 mars ?

3 Écoute l'annonce. Retrouve le nom des sports représentés sur l'affiche ②**.**

4 Réécoute. Tu entends quels autres noms de sports ? Choisis les photos.

3▶

SPORT

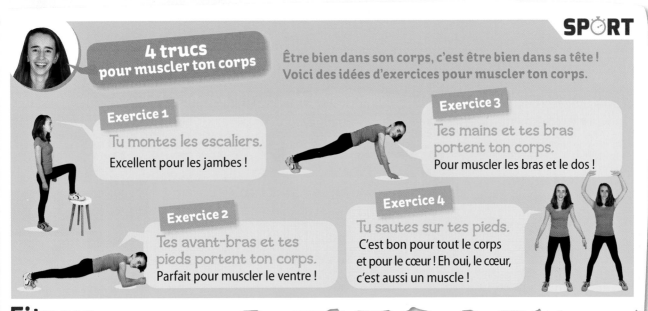

4 trucs pour muscler ton corps

Être bien dans son corps, c'est être bien dans sa tête !
Voici des idées d'exercices pour muscler ton corps.

Exercice 1
Tu montes les escaliers.
Excellent pour les jambes !

Exercice 3
Tes mains et tes bras portent ton corps.
Pour muscler les bras et le dos !

Exercice 2
Tes avant-bras et tes pieds portent ton corps.
Parfait pour muscler le ventre !

Exercice 4
Tu sautes sur tes pieds.
C'est bon pour tout le corps et pour le cœur ! Eh oui, le cœur, c'est aussi un muscle !

Fitness

---

5 💬 Tu participes à la journée du Sport. Quel(s) sport(s) est-ce que tu choisis ? Partage avec la classe.

(Moi, le football et le tennis !)

6 Lis l'article ③. Il propose :
a. des exemples de sports.
b. des exercices pour les muscles.
c. des exercices excellents pour les pieds.

7 Relis l'article ③. Quels exercices musclent ces parties du corps ? Associe.

Exercice 1   Exercice 2   Exercice 3   Exercice 4

a   b   c

d   e

8 💬 PAR DEUX. **Dis le nom d'un sport. Ton/Ta camarade dit quelle(s) partie(s) du corps il muscle.**

(La natation ?)   (C'est bon/excellent/parfait pour le dos et les bras !)

---

80 VOCABULAIRE

Les sports (m.) (DICO p. 116)

le basket	le football	le rugby
la danse	le judo	le tennis
l'équitation (f.)	la natation	
l'escrime (f.)	la pétanque	▶n° 1 et 6 p. 58

Le corps (DICO p. 117)

le bras	la jambe	la tête
le cœur	la main	le ventre
le dos	le pied	

▶n° 2 et 7 p. 58

Les actions

monter
muscler
porter
sauter

VIRELANGUE 81

Le son [R]
Écoute et répète le plus rapidement possible.
Victor adore le sport et exerce son corps pour être fort !

▶n° 8 p. 58

Échangeons sur nos activités sportives

1 PAR DEUX. **Observez les photos. Quelle activité font ces adolescents ? Aidez-vous des deux tableaux.**

▶ *Photo 1 : Mathieu et ses copains font de la danse hip-hop.*

① 10:50
‹ 🖳 Mathieu 🗑
Mes copains et moi le mercredi.

② 9:50
‹ ✉ Rose 🗑
Mon meilleur ami et moi.
Entrer un message

③ 13:50
‹ ✉ Eliot 🗑
Moi avec mon père.

④ 10:50
‹ 🖳 Anna 🗑
Avec Julie après l'école.

---

82 Le verbe *faire*

Je **fais**
Tu **fais**
Il/Elle/On **fait**
Nous **faisons**
Vous **faites**
Ils/Elles **font**

PHONÉTIQUE 82

1. **Écoute le verbe *faire*.**
2. **Quelles personnes ont une prononciation identique ?**

▶n° 9 p. 58

---

83 *Faire* et *jouer* + article

Je fais **de la** danse. / Je joue **à la** pétanque.
Je fais **du** roller. / Je joue **au** football.
Je fais **de l'**équitation.
Je **ne** fais **pas de** sport.

⚠ *Faire du/de la/de l'* + tous les sports.
Jouer au/à la + un sport d'équipe ou à deux.

▶n° 3 et 11 p. 58-59

Mon C⚽URS d'EPS*

1. **Dis quel(s) sport(s) tu fais avec les équipements suivants.**

▶*Avec une raquette, je joue au tennis !*

une raquette   un ballon   un casque   un panier

une balle   des boules   des skis

2. **Tu fais quels sports en cours d'EPS ?**

éducation physique et sportive

---

2 💬 PAR DEUX. **Mimez une activité. Les autres devinent l'activité.**

Vous faites de la natation !

3 **84** **Écoute et regarde les téléphones de l'activité 1. Qui parle : Rose, Mathieu, Eliot ou Anna ?**

a, c'est Eliot !

4 **Réécoute. Qui fait quoi...**

...le mercredi ?   ...le vendredi ?

...tous les jours ?   ...tous les samedis ?

...tous les week-ends ?   ...le dimanche ?

▸ *Mathieu fait de la danse hip-hop le mercredi.*

 Pour exprimer la fréquence

Je marche **tous les jours**.

Je joue au foot **le samedi**.
  = *tous les samedis.*

Je fais du roller **tous les week-ends**.
  = *le week-end.*

▸n° 4 et 10 p. 58-59

5 **Réécoute. Puis associe les questions et les réponses.**

a ▸ Eliot, qu'est-ce que tu fais comme sport avec ta sœur ?

1 Oui, je fais du vélo.

b ▸ Mathieu, est-ce que tu fais un autre sport ?

2 Non, je marche.

c ▸ Rose, est-ce que tu fais du vélo tous les jours ?

3 Nous faisons du roller.

 Pour poser des questions (2)

– **Qu'est-ce que** tu fais comme sport ?
– Je fais de la natation.

RAPPEL

– **Est-ce que** tu fais du sport ?
– **Oui**, je fais de l'équitation.
– **Non**, je ne fais pas de sport. ▸n° 12 p. 59

Qu'est-ce que vous faites comme sport ?

Est-ce que vous faites de l'exercice tous les jours ?

6 PAR DEUX.
Répondez aux questions du sondage.

Action!

7 EN PETITS GROUPES.
Faites un sondage sur le sport dans la classe. Utilisez les questions suivantes et trouvez d'autres questions.

Qu'est-ce que tu fais comme sport à l'école ?

Est-ce que tu fais du sport avec ta famille ?

Qu'est-ce que tu préfères : marcher, faire du roller, faire du vélo ?

Est-ce que tu aimes les sports d'équipe ?

VOCABULAIRE

Faire du sport

faire de l'exercice
jouer (au football)
marcher

le roller
le ski
le vélo

3

Décrivons des personnes

1 💬 Quels sportifs/sportives sont célèbres dans ton pays ? Avec la classe, faites une liste et gardez-la pour l'activité **8**.

2 💿88 Regarde la tablette ci-contre et écoute. De qui on parle ?
a. De sportifs français.
b. De sportifs des Jeux olympiques.
c. De joueurs de football.

3 💿88 Réécoute. Comment sont les sportifs décrits par les ados ? Associe.

a. Le basketteur est…
b. La championne de judo est…
c. Le champion de natation est…

musclé(e)   roux/rousse   mince   blond(e)   petit(e)   frisé(e)   brun(e)   grand(e)

4 💬 PAR DEUX. **Décris ton/ta camarade avec les mots de l'activité 3. Il/Elle est comment ?**

Thomas est blond et frisé.

5 Lis le message d'Éva. Qui est Céline Dumerc ? Qui est Isabelle Yacoubou ?

Forum des **ADONAUTES**

Qui sont vos sportifs préférés ?   Répondre 💬   Rechercher 🔍

Posté par Éva le 21 juin 2016, 10h24

Moi aussi, j'adore les joueuses de l'équipe de France de basket ! Ma préférée, c'est Céline Dumerc : c'est la chef de l'équipe ; elle a les cheveux courts et châtains et elle a les yeux marron. Elle est petite pour une basketteuse : elle fait 1 mètre 69 ! Et j'aime bien Isabelle Yacoubou. C'est aussi une championne ! Elle est très grande : elle mesure 1 mètre 90 ! Elle a les cheveux longs et, pendant les matchs, ils sont bleus, blancs et rouges ! Les deux joueuses sont très différentes !

C'est ou Il est/Elle est

Pour présenter : *C'est un/C'est une* + nom
C'est une championne de basket.

Pour décrire : *Il est/Elle est* + adjectif
Elle est grande.

▶n° 13 p. 59

6 Relis. Trouve les différences entre les deux sportives. Puis associe chaque sportive à sa photo.

▶ *Céline Dumerc a les cheveux courts et châtains.*

▶ *Isabelle Yacoubou…*

 Pour décrire physiquement

La taille
Elle **est** grande.
Elle **fait** 1 mètre 69.
Elle **mesure** 1 mètre 90.

Les cheveux et les yeux
Il **est** brun. Elle **est** frisée.
Il **a** les cheveux blonds, courts.
Elle **a** les yeux bleus.

▶n° 5 et 14 p. 58-59

7 PAR DEUX. **Trouvez le maximum de différences entre ces deux sportifs français. Puis comparez avec les autres groupes.**

Samir Nasri
Footballeur, 1,75 m

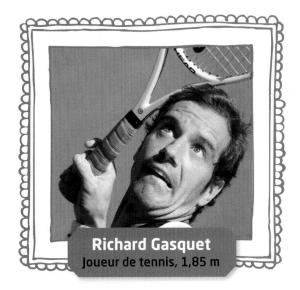

Richard Gasquet
Joueur de tennis, 1,85 m

Action!

8 EN PETITS GROUPES. **Choisissez un(e) sportif(ive) dans la liste de l'activité ❶ et écrivez un message sur le forum des adonautes. Les autres devinent qui c'est.**

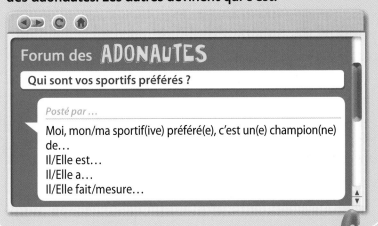

Forum des **ADONAUTES**

Qui sont vos sportifs préférés ?

Posté par…

Moi, mon/ma sportif(ive) préféré(e), c'est un(e) champion(ne) de…
Il/Elle est…
Il/Elle a…
Il/Elle fait/mesure…

 VOCABULAIRE

La description physique (DICO p. 117)

blond(e)
brun(e)
châtain
court(e)
frisé(e)
long/longue

mince
musclé(e)
roux/rousse
les cheveux
les yeux
mesurer

Les sportifs / sportives

un champion, une championne
un joueur, une joueuse
une équipe

Le sport, c'est aussi dans la rue !

Les adolescents français ne font pas toujours
du sport dans un club ou à l'école, avec un équipement
et des compétitions... Le skate-board,
le roller, le BMX, la trottinette, le street-hockey,
le street-basket, le street-football et
le hip-hop sont des sports de rue. À pratiquer
tous les jours en ville !

SPORT : Le sport, c'est aussi dans la rue !

1  Observe les photos de l'article. Tu peux nommer ces sports ? Est-ce qu'ils existent dans ton pays ?

2 Lis l'article et réponds.

a. On pratique ces sports :
- à l'école.
- dans un club.
- dans la rue.

b. Retrouve :
- les sports sur roues.
- les sports de ballon.

EN PETITS GROUPES

3 ⟨92⟩ Écoute le dialogue pour vérifier.

4 Faites des recherches sur d'autres sports de rue pratiqués dans votre pays. Faites une affiche pour les présenter.

ENSEMBLE POUR...

organiser une journée du Sport au collège

1 EN PETITS GROUPES
Faites une liste de sports à proposer pour votre journée.

- Le basket
- Le skate
- Le tennis
- Le hip-hop

3 Proposez des jeux sur le thème du sport et des sportifs.

2 Choisissez une date et créez l'affiche de votre journée du Sport. Décorez-la !

4 Présentez votre affiche et annoncez l'événement à la classe.

Jeudi 27 février

GRANDE JOURNÉE DU **SPORT** AU COLLÈGE !

Inscriptions ici
Basket :   Tennis :   Foot :

Pour notre journée du Sport, nous proposons du basket, du tennis et du foot.

Et nous organisons un grand jeu sur les sportifs célèbres.

LA CLASSE DONNE SON AVIS SUR...

L'AFFICHE      LA PRÉSENTATION

... ET CHOISIT LE MEILLEUR PROJET !

VIDÉO
SÉQUENCE 4

Entraînement

👥 Entraînons-nous

▸ Les sports

1 EN PETITS GROUPES. **Jouez à la chaîne des sports. Parlez chacun à votre tour.**

Élève 1 ▸ « J'aime le tennis. »

Élève 2 ▸ « J'aime le tennis et le judo. »

Élève 3 ▸ « J'aime le tennis, le judo et la natation. »

...

▸ Le corps

2 PAR DEUX. **Montrez sur vous-même les parties du corps suivantes. Le/La plus rapide gagne.**

a. le dos   c. la tête   e. les jambes   g. les pieds

b. les bras   d. les mains   f. le ventre

▸ *Faire* et *jouer* + article

3 EN PETITS GROUPES. **Écrivez le maximum de phrases avec les éléments suivants. Puis comparez vos phrases avec un autre groupe.**

de la	je	elle	vous	du
danse	de l'	tennis	au	fais
basket	nous	jouons	faites	
football	escrime	fait		

▸ Exprimer la fréquence

4 PAR DEUX. **Dites à quelle fréquence vous faites les actions suivantes : *tous les jours, le mercredi, le samedi, pas du tout*... Puis présentez les activités de votre camarade.**

faire une activité sportive dans un club

faire du vélo   marcher   faire du roller

faire de la natation   jouer au foot

Anna marche tous les jours ; elle ne fait pas de vélo...

▸ Décrire physiquement

5 PAR DEUX. **Vous avez 3 minutes pour trouver dans la classe :**

a. un(e) élève brun(e).

b. un(e) élève grand(e).

c. un(e) élève aux cheveux longs.

d. un(e) élève aux yeux marron.

Lisa a les yeux marron !

Tom est brun.

👤 Entraîne-toi

▸ Les sports

6 **Écoute les bruits. C'est quel sport ?**

🔊 93

▸ Le corps

7 **Retrouve les parties du corps.**

▸ PHONÉTIQUE. Le son [R]

8 **Trouve le maximum de mots avec le son [R] parmi les mots que tu connais.**

▸ Le verbe *faire*

9 **Associe pour former le maximum de phrases.**

a. Tu...   d. Je...

b. Marguerite et moi...   e. Léa et toi...

c. Nina...   f. Léo et Valentine...

1. ne font pas de sport.

2. fais de la natation.

3. faites beaucoup de matchs.

4. faisons du basket au collège.

5. fait du roller avec des amis.

6. fais du football dans un club.

▸ Exprimer la fréquence

10 Observe l'emploi du temps de Nina. Dis à quelle fréquence elle fait chaque activité.

	lundi	mardi	mercredi	jeudi	vendredi	samedi	dimanche
9-10h		sport à l'école		sport à l'école			natation avec papa
14-15h			danse				
17-18h	basket				basket		

▸ *Nina fait du basket…*

▸ *Faire* et *jouer* + article

11 Transforme les phrases avec *jouer au/à la* ou *faire du/de la/de l'*.

▸ *Léo adore le football. > Il joue au/fait du football.*

a. Agathe aime le tennis.

b. Tu adores la danse.

c. Karim et toi aimez bien l'escrime.

d. Juliette et moi aimons le basket.

e. Théo et Margot adorent le judo.

▸ Poser des questions

12 Trouve les questions, comme dans l'exemple.

▸ *Nous aimons le sport. > Qu'est-ce que vous aimez ?*

a. Le mercredi, nous faisons de la danse.

b. Oui, elle fait du sport tous les week-ends !

c. Non, Mathias n'aime pas le tennis.

d. Ils font de l'équitation.

e. Oui, la natation, c'est bon pour le dos.

▸ *C'est* ou *Il est/Elle est*

13 Fais des phrases avec *c'est* ou *il/elle est*, comme dans l'exemple.

▸ *un copain de Manon / grand > C'est un copain de Manon, il est grand !*

a. un joueur de tennis / musclé

b. une championne de ski / française

c. drôle et beau / un garçon sympa

d. une fille de ma classe / sportive

e. un ami / un grand champion de foot

▸ Décrire physiquement

14 Décris ces personnes avec les éléments proposés (un élément peut s'utiliser plusieurs fois).

musclé

Il est

les cheveux

brune

Il a

les yeux

frisés

blonds

courts

longs

Elle est

bleus

Elle a

marron

Évaluation

ÉTAPES . . . 1 . . . 2 . . . 3 . . . 4 . . . **5** . . . 6 . . . 7 . . . 8

1 🎧 94 **Écoute et associe les activités à leur fréquence.**

 a   b   c   d  e

.../5

1. le mardi **2.** le mercredi **3.** le jeudi **4.** le vendredi **5.** le samedi

2 💬 **PAR DEUX. Explique à ton/ta camarade quelle(s) partie(s) du corps tu utilises pour faire les activités suivantes.**

Pour faire du roller, j'utilise... Pour faire de l'escrime... Pour marcher... Pour danser... Pour faire du vélo...

.../5

3 ✏️ **Tu es fan de ce sportif. Tu écris un message sur son blog et tu lui poses cinq questions avec *qu'est-ce que* ou *est-ce que*.**

Tony Parker

.../5

> Bonjour,
>
> Je suis fan de basket et je regarde vos matchs. Qu'est-ce que vous...
> Est-ce que...
> ...
> Merci de vos réponses !
>
> ENVOYER

4 📖 **Lis les descriptions et retrouve les photos correspondantes. Puis écris la description qui manque.**

1 Je suis châtain, j'ai les cheveux longs. J'ai les yeux marron. J'adore la danse.

2 Je suis blond aux cheveux courts. J'aime les sports de ballon !

4 Moi, j'ai les cheveux frisés et les yeux noirs. Mon sportif préféré est Tony Parker !

3 J'ai les cheveux blonds et j'ai les yeux bleus. Je marche beaucoup.

5 ...

.../5

.../20

Prêts pour
l'étape 5 ?

1 Compréhension de l'oral

Lis les questions. Écoute deux fois le message téléphonique puis réponds aux questions.

1. Qu'est-ce qu'il y a samedi ?
2. Céline est inscrite à un cours de :

3. Ludo est inscrit à quel cours ?
4. Qu'est-ce que Céline demande d'apporter samedi ?

.../10

2 Compréhension des écrits

Tu es chez un ami français et tu trouves le message suivant. Lis-le puis réponds aux questions.

Dimanche, tu as rendez-vous avec mon ami Fred au Parc des sports. Il est grand, blond et a les cheveux courts. Il est musclé. Il fait du rugby tous les samedis.

À demain !
Ludovic

1. Tu as rendez-vous avec Fred quel jour ?
2. Fred est comment ? Choisis :

3. Fred fait quel sport ?

4. Fred fait du sport à quelle fréquence ?

.../10

3 ✏ Production écrite

Exercice 1 ▶ remplir un formulaire (.../10)

Complète cette fiche de présentation pour trouver un correspondant.

Nom	Votre réponse
Prénom	Votre réponse
Nationalité	Votre réponse
Âge	Votre réponse
Pays	Votre réponse
Langue(s) parlée(s)	Votre réponse
Ta description (2 adjectifs)	Votre réponse
2 sports préférés	Votre réponse

Exercice 2 ▶ écrire un message court (.../10)

Tu écris à ton/ta correspondant(e) français(e). Il/Elle ne te connaît pas.
Tu te présentes et tu parles de ta famille. (40 mots minimum)

(.../20)

4 💬 Production orale

Exercice 1 (... /5)

Tu te présentes (nom, prénom, âge, nationalité, pays, langue(s) parlée(s), sports pratiqués...).
Tu parles de ta famille.

Exercice 2 (... /5)

Pose des questions à un(e) camarade à partir des mots suivants.

| Correspondant(e) ? | Langue(s) ? | Habiter ? | Frère ? | Drapeau ? | Rugby ? |

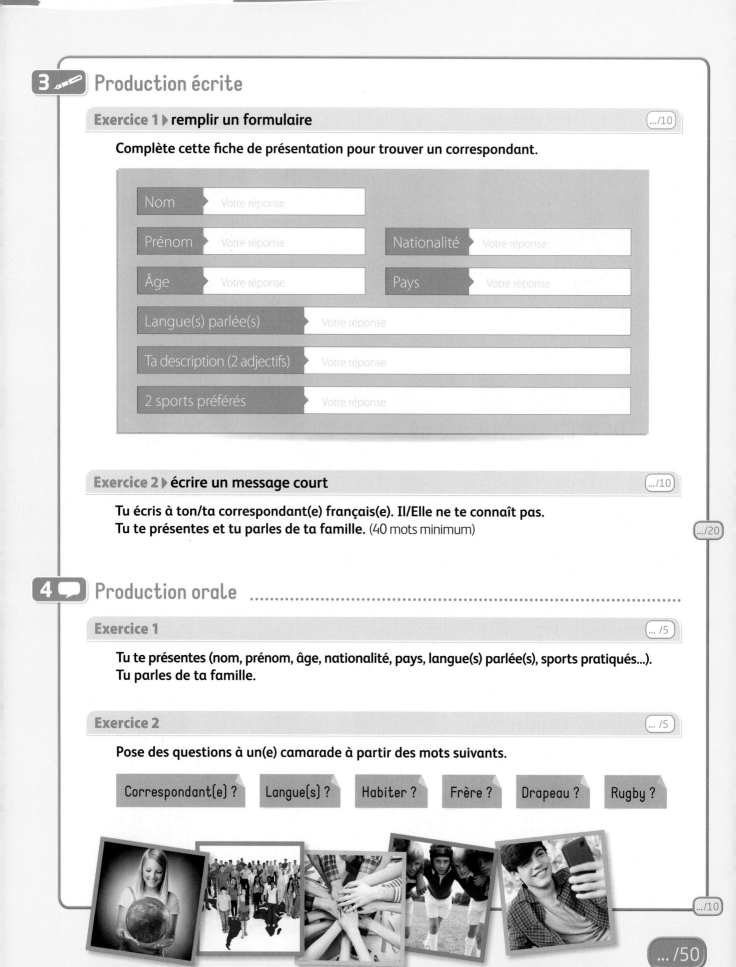

(.../10)

(... /50)

Rendez-vous au collège

1 Regarde les photos et trouve :
a. une salle de classe.
b. des élèves.

2 En France, les élèves ne vont pas au collège le mercredi après-midi. Et toi ?

Apprenons à…
• parler de la vie au collège
• parler de notre emploi du temps
• fixer un rendez-vous

Et ensemble…
imaginons un collège de rêve

VIDÉO ▶
SÉQUENCE 5

Parlons de la vie au collège

1 Observe le document ①.
a. Qu'est-ce que c'est ?
b. Associe les photos suivantes aux lieux du document ①.

2 AVEC LA CLASSE. **Décrivez votre collège.**

> Dans notre collège, il y a vingt salles de classe, il n'y a pas de cantine...

3 Observe l'affiche ②. Quelles vacances correspondent aux dates suivantes ?
a. Du 14/02 au 02/03
b. Du 20/12 au 05/01
c. Du 18/04 au 04/05

4 PAR DEUX. **Dis une date.**
Ton/Ta camarade l'écrit en chiffres.

> Le vingt-quatre octobre.

> Le 24/10.

2

CALENDRIER SCOLAIRE

Rentrée scolaire	le mardi 1er septembre
Vacances de la Toussaint	du 18 octobre au 3 novembre
Vacances de Noël	du 20 décembre au 5 janvier
Vacances d'hiver	du 14 février au 2 mars
Vacances de printemps	du 18 avril au 4 mai
Vacances d'été	le samedi 4 juillet

3

http://blogdescollegiens.com

BLOG DES COLLÉGIENS

Note ton collège !

20/20 = Excellent !   14/20 = Bien !
17/20 = Très bien !   10/20 = Passable !

Ta note

Les cours ☐   Les élèves ☐
La cantine ☐   Les cours de sport ☐

ENVOYER

5 Et dans ton pays ? Quelles sont les dates des vacances scolaires ?

6 Observe le blog ③. Dans ton collège, les professeurs notent comment ?

7 Lis le blog ③ et écoute les adolescents. Ils donnent quelles notes à leur collège ?

8 Note ton collège. Compare tes réponses avec la classe.

> La cantine est super. 18 sur 20 !

---

97 VOCABULAIRE

Le collège

la bibliothèque
la cantine
un(e) collégien/collégienne
la cour de récréation
un cours

un(e) élève
le gymnase
une note
une salle de classe
les vacances (f.)

▶ n° 5 p. 72

Les mois (m.)

janvier	mai	septembre
février	juin	octobre
mars	juillet	novembre
avril	août	décembre

▶ n° 1 p. 72

Les saisons (f.) (DICO p. 117)

le printemps   l'été (m.)   l'automne (m.)   l'hiver (m.)

Dire la date

le mardi 1er (premier) septembre
du 23 **au** 25 janvier
en décembre
en été, **en** automne, **en** hiver, **au** printemps

▶ n° 6 p. 72

Il y a

Il y a une cantine. **Il n'y a pas de** cantine.

VIRELANGUE   98

Les sons [b] et [v] comme dans *novembre*
Écoute et répète le plus rapidement possible.

Ambre va en vacances en novembre, Barnabé en février et Jebril en avril !

▶ n° 7 p. 73

2 Parlons de notre emploi du temps

1
DICO
p. 117

Regarde l'emploi du temps. Quelles matières tu as/n'as pas dans ton emploi du temps ?

	lundi	mardi	mercredi	jeudi	vendredi
8 h 15 9 h 15	EPS	histoire-géo	histoire-géo		SVT
9 h 15 10 h 15	EPS	langue vivante	maths	français / maths	physique- chimie
Récréation					
10 h 30 11 h 30	français	vie de classe	arts plastiques	SVT / technologie	français
11 h 30 12 h 30	bibliothèque / devoirs	français	SVT / technologie	langue vivante	français
Déjeuner					
13 h 45 14 h 45	langue vivante	maths			EPS
14 h 45 15 h 45	maths	éducation musicale		histoire-géo	EPS
15 h 45 16 h 45	histoire-géo			maths	

2 **99** **Regarde l'emploi du temps et écoute.**
On est quel jour ?

3 **99** **Réécoute et choisis les heures que tu entends.**
Retrouve les heures correspondantes sur l'emploi
du temps.

> cinq heures moins le quart

> quatre heures moins le quart

> dix heures et demie

> cinq heures et quart

> quatre heures et demie

> neuf heures et quart

▶ *Neuf heures et quart, c'est 9 h 15.*

 100 Pour demander et dire l'heure

Il est quelle heure ? = Quelle heure **il est** ?
Il est neuf heures. = 9 h 00
Il est neuf heures **et quart**. = 9 h 15
Il est neuf heures **et demie**. = 9 h 30
Il est dix heures **moins le quart**. = 9 h 45
Il est midi. = 12 h 00
Il est minuit. = 00 h 00

⚠️ 14 h 15 = deux heures et quart
= quatorze heures quinze
≠ ~~quatorze heures et quart~~

▶ n° 2 p. 72

 101 Pour indiquer un horaire

J'ai cours de maths **à** neuf heures.
J'ai cours de maths **de** neuf heures **à** dix heures.

4 💬 **PAR DEUX. Choisis un cours sur l'emploi du temps de l'activité 1. Ton/Ta camarade devine le jour.**

> J'ai cours d'EPS de deux heures moins le quart
> à quatre heures moins le quart.

> Le vendredi !

5 Écoute et regarde l'emploi du temps p. 66.
Quel est le cours de ce matin ?

6 Observe le tableau ci-dessous et réécoute.
Associe les post-it aux personnes correspondantes.

▸ *a : le professeur*

Selma   Yannis   Le professeur   Lucie

a Ce matin :
nos moments préférés
au collège.

b La bibliothèque
le lundi matin
à 11 h 30

c Les cours
de sport
le matin
à 8 h

d La cantine
le midi

Pour situer dans le temps

Aujourd'hui	En général
Ce matin	**Le** matin
Ce midi	**Le** midi
Cet/Cette après-midi	**L'**après-midi
Ce soir	**Le** soir

▸ n° 3 et 8 p. 72-73

7 Associe une explication à chaque élève et imagine
l'explication de Lucie.

Yannis   Selma

a Parce que je fais mes devoirs à la bibliothèque.

b Parce que j'adore faire de l'exercice le matin.

Pour demander et donner une explication

– **Pourquoi** (est-ce que) tu aimes la récréation ?
– **Parce que** je parle avec mes copains !

▸ n° 9 p. 73

Mon COURS de MATHS

un quart $= \frac{1}{4}$ un demi $= \frac{1}{2}$ trois quarts $= \frac{3}{4}$

Une heure dure 60 minutes.
Une minute dure 60 secondes.

1. **Observe. Combien de temps durent
un quart d'heure, une demi-heure,
trois quarts d'heure ?**

2. **Dans ton collège, combien de temps
durent les cours ? La récréation ?
Une journée d'école ?**
   ▸ *Les cours durent trois quarts d'heure.*

Action !

8 EN PETITS GROUPES. **Faites la liste
de vos moments préférés au collège.
Expliquez pourquoi.**

J'adore la récréation
de 10 h à 10 h 15 parce
que je joue au foot
avec mes copains !

VOCABULAIRE

L'emploi du temps (m.) (DICO p. 117)

les arts plastiques (m.)
les devoirs (m.)
l'éducation musicale (f.)
l'éducation physique et sportive/EPS (f.)
l'histoire-géographie/l'histoire-géo (f.)
les langues vivantes (f.)
les mathématiques/les maths (f.)
la physique-chimie
les sciences de la vie et de la terre/ les SVT (f.)
la technologie
la vie de classe

La journée

le matin
le midi
l'après-midi (m. ou f.)
le soir

une heure
une minute
une seconde

▸ n° 8 p. 73

Fixons un rendez-vous

1 Observe l'agenda. Choisis un événement ou une activité. Explique pourquoi.

> Je choisis la fête du Printemps parce que j'adore danser !

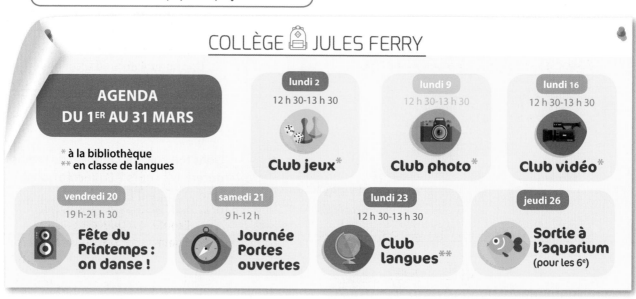

COLLÈGE JULES FERRY

AGENDA DU 1ER AU 31 MARS

* à la bibliothèque
** en classe de langues

lundi 2
12 h 30-13 h 30
Club jeux*

lundi 9
12 h 30-13 h 30
Club photo*

lundi 16
12 h 30-13 h 30
Club vidéo*

vendredi 20
19 h-21 h 30
Fête du Printemps : on danse !

samedi 21
9 h-12 h
Journée Portes ouvertes

lundi 23
12 h 30-13 h 30
Club langues**

jeudi 26
Sortie à l'aquarium (pour les 6e)

2 Lis les conversations. Ils vont à quelle activité ? Retrouve les dates sur l'agenda.

a
Tu es libre vendredi ?
On va à la fête du Printemps ensemble ?

Bonne idée ! Rendez-vous vendredi à 19 heures au collège ?

D'accord, à vendredi !

b
On mange à la cantine ensemble aujourd'hui ?

Non, ce midi ce n'est pas possible, je vais au club jeux.

Demain midi ?

OK. À demain !

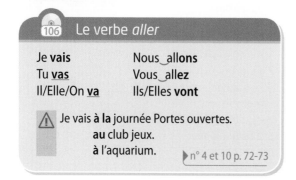

106 Le verbe *aller*

Je **vais** Nous **allons**
Tu **vas** Vous **allez**
Il/Elle/On **va** Ils/Elles **vont**

⚠️ Je vais **à la** journée Portes ouvertes.
 au club jeux.
 à l'aquarium.

▶ n° 4 et 10 p. 72-73

3 Observe les dessins. Ils vont où ?

a On...

b Je...

c Nous...

 Pour fixer un rendez-vous

On va à la fête ensemble ?
Tu es libre vendredi ?

Non, je ne suis pas libre. / Ce n'est pas possible.
Oui, d'accord ! / OK ! Rendez-vous à 19 h au collège.
À demain ! / À vendredi !

▶ n° 11 p. 73

4 **Associe les propositions et les réponses.**

a Tu vas au club photo à 12 h 30 ?

b Rendez-vous mercredi à 14 h ?

c On fait nos devoirs ensemble à 17 h ?

1 D'accord, à mercredi !

2 Cet après-midi, ce n'est pas possible.

3 Non, je ne suis pas libre ce midi.

5 **Observe l'affiche.**
a. Qu'est-ce qu'elle propose ?
b. Que font les collégiens qui participent ?

COLLÈGE JULES FERRY

SAMEDI 21 MARS · 9 H-12 H

PARTICIPE À LA JOURNÉE PORTES OUVERTES !

> FAIRE VISITER LE COLLÈGE
> PARLER AVEC LES FUTURS COLLÉGIENS

Rendez-vous

Où ? Au gymnase du collège.
Quand ? Inscris ton nom et ta classe :

De 9 h à 10 h	De 10 h à 11 h	De 11 h à midi
Mathias Potin (6e B)		

6 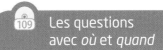 **Écoute les élèves et réponds.**
a. Est-ce qu'ils participent à la journée Portes ouvertes ? Quand ?
b. Où est le rendez-vous ?

109 **Les questions avec *où* et *quand***

– **Quand est-ce que** tu es libre ?
= Tu es libre **quand** ?
– Je suis libre de neuf heures à dix heures.
– **Où est-ce que** c'est ? = C'est **où** ?
– C'est au gymnase.

▶ n° 12 p. 73

PHONÉTIQUE

Les liaisons avec *d*, *f* et *x*
Écoute et retrouve les liaisons.
Comment elles se prononcent ?

▶ n° 13 p. 73

7 💬 PAR DEUX. **Choisissez une date sur l'agenda du collège p. 68. Posez-vous des questions.**

Quand est-ce que tu vas à la fête du Printemps ?

Le vendredi 20.

Le club vidéo, c'est où ?

C'est à la bibliothèque.

Action!

8 EN PETITS GROUPES. **Faites l'agenda du mois de votre choix pour le collège Jules Ferry. Fixez un/des rendez-vous. Puis comparez avec la classe.**

111 VOCABULAIRE

Les rendez-vous (m.)

une fête   demain
une sortie   ensemble
libre

Jours de fête

Tout le monde connaît les grandes fêtes françaises comme la fête du Travail ou la fête nationale... Voici d'autres événements du calendrier.

1 En mars, pour la semaine de la Langue française et de la Francophonie, on fête le français !

semaine de la Langue française · ET DE LA FRANCOPHONIE · 20e ÉDITION

2 Le 22 avril, c'est le jour de la Terre. Bonne fête !

Jour de la Terre® QUÉBEC

3 Le jour de l'été, on joue de la musique dans la rue pour la fête de la Musique !

Fête de la MUSIQUE

4 La fête de la Science, c'est en octobre. Pour les fans d'expériences scientifiques !

fête de la Science .fr

5 Les journées mondiales du Jeu vidéo, ce sont trois journées en novembre, pour les fans de jeux vidéo !

JOURNEES MONDIALES DU JEU VIDEO

JANVIER

L	M	M	J	V	S	D
				1	2	3
4	5	6	7	8	9	10
11	12	13	14	15	16	17
18	19	20	21	22	23	24
					30	31

FÉVRIER

L	M	M	J	V	S	D
1	2	3	4	5	6	7
8	9	10				
15	16	17				

MARS

L	M	M	J	V	S	D
1	2	3	4	5	6	
8	9	10	11	12	13	
15	16	17	18	19	20	
23	24	25	26	27		
30	31					

AVRIL

L	M	M	J	V	S	D
					2	3
					9	10
			15		16	17
11	12	13		21	22	23	24
25	26	27	28	29		

MAI

L	M	M	J	V	S	D
					2	3
2	3				9	10
					16	17
23						
30	31					

JUIN

L	M	M	J	V	S	D
	1	2	3	4	5	
	8	9	10	11	12	
14		16	17	18	19	
20	21	2	23	24	25	26
28			30			

AOÛT

L	M	M	J	V	S	D
1	2	3	4	5	6	7
8	9	10	11	12	13	14
15	16	17	18	19	20	21
22	23	24	25	26	27	28
29	30	31				

SEPTEMBRE

L	M	M	J	V	S	D
						4
						11
						18
						25
5	6	7	8	9	10	11
12	13	14	15	16	17	18
19	20	21	22	23	24	25
26	27	28	29	30	31	

OCTOBRE

L	M	M	J	V	S	D
					1	
3	4	5	6	7	8	
10	11	12	13	14	15	16
17	18	19	20	21	22	23
24	25				29	30
31						

NOVEMBRE

L	M	M	J	V	S	D
1	2	3	4	5	6	
7	8	9	10	11	12	13
14	15	16	17	18	19	
21	22	23	24	25	26	
28	29	30				

1 🌐 Avec la classe, faites une liste de fêtes de votre pays ou du monde. Notez les dates.

2 Lis l'introduction de l'article. À quelles fêtes correspondent les dates suivantes en France ?

Le 14/07   Le 01/05

3 Retrouve sur le calendrier de l'article les événements correspondant aux photos.

a b c d e

EN PETITS GROUPES

4 Imaginez deux événements à ajouter sur le calendrier. Présentez-les à la classe.

La fête des Collégiens : c'est le 20 mars, le jour du printemps ! Pas de cours, c'est une journée de fête à l'école !

ENSEMBLE POUR...

imaginer un collège de rêve

1 EN PETITS GROUPES   Faites la liste de vos idées pour un collège de rêve.

Dans notre collège de rêve...
– On utilise des ordinateurs dans les classes et il n'y a pas de cahiers.
– Il n'y a pas de notes.
– On n'a pas cours l'après-midi.

2 Préparez la présentation de votre collège de rêve.
Une affiche ?   Un album photos ?   Une vidéo ?

Les classes avec des ordinateurs pour tous les élèves.

Les professeurs ne donnent pas de notes !

3 Présentez votre projet à la classe.

LA CLASSE DONNE SON AVIS SUR...

LES IDÉES

LA PRÉSENTATION DU COLLÈGE DE RÊVE

... ET CHOISIT SON COLLÈGE PRÉFÉRÉ !

VIDÉO
SÉQUENCE 5

Entraînement

👥 Entraînons-nous

▶ Les mois

1 ⏱ **EN PETITS GROUPES. Mettez les mois de l'année dans l'ordre.**

février	avril	juin	décembre

janvier	septembre	août	juillet

mai	mars	novembre	octobre

▶ Demander et dire l'heure

2 ⏱ **EN PETITS GROUPES. Choisis une horloge et dis l'heure à tes camarades.
Ils/Elles retrouvent la bonne horloge.**

Il est neuf heures et quart ! *Horloge a !*

▶ Situer dans le temps

3 **PAR DEUX. Choisis un moment et pose une question à ton/ta camarade sur son emploi du temps.**

Tu as cours de maths cet après-midi ? *Non.*

ce matin	l'après-midi	le midi

ce soir	le soir	cet après-midi

▶ Le verbe *aller*

4 **PAR DEUX. Choisis deux dessins et fais deux phrases avec le verbe *aller*. Ton/Ta camarade trouve les dessins correspondants.**

Ils vont à la bibliothèque. *Dessin a !*

👤 Entraîne-toi

▶ Le collège

5 🔊112 **Écoute. Les élèves sont où ?**

le gymnase	la classe

la cantine	la bibliothèque

▶ Dire la date / Les saisons

6 **Lis les dates. C'est quelle saison en France ? Et dans ton pays ?**

▶ *Le 25 décembre, en France, c'est en hiver. Dans mon pays, c'est en été.*

25/12	14/01	31/03	21/07	20/10	1er mai

▶ PHONÉTIQUE. Les sons [b] **et** [v]

7 Écoute. Lève la main quand tu entends le son [b] comme dans *bonjour.*

113

▶ L'heure / La journée

8 Observe les heures. Dis si c'est le matin, le midi, l'après-midi ou le soir.

▶ `7:30` *Il est sept heures et demie, c'est le matin.*

a `14:10` b `5:50` c `16:20`

d `12:15` e `19:35` f `6:55`

▶ Demander et donner une explication

9 Complète avec *pourquoi* ou *parce que.*
Puis associe les questions et les réponses.

a ⟩ ... tu ne manges pas à la cantine ?

b ⟩ ... nous avons des copains et des copines.

c ⟩ ... c'est jeudi, on n'a pas cours de français le jeudi !

d ⟩ ... est-ce que nous n'avons pas cours de français ?

e ⟩ ... est-ce que vous aimez le collège ?

f ⟩ ... je mange avec mes parents le midi.

▶ Le verbe *aller*

10 Fais quatre phrases avec les mots suivants.

vais	à la	collège	vous
fête	nous	allons	à l'
vas	club musique	tu
aquarium	au	je	allez

▶ Fixer un rendez-vous

11 Reconstitue deux dialogues avec les éléments suivants.

a D'accord !

c Oui.

b Non, ce n'est pas possible, j'ai un cours de danse. Demain ?

d Tu vas à l'aquarium avec ta classe, jeudi ?

e On fait nos devoirs ensemble à 16 h 30 ?

f Super ! Rendez-vous jeudi alors !

▶ Les questions avec *où* **et** *quand*

12 Écoute Nils.
Pose-lui des questions avec *où* et *quand.*

114

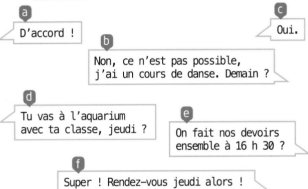

Je fais mes devoirs le soir.

Quand est-ce que tu fais tes devoirs ?

▶ PHONÉTIQUE. Les liaisons avec *d, f* **et** *x*

13 Écoute. Tu entends quelle liaison ?

115
a. Il ne va pas au collège, il a neuf ans !
b. Quand est-ce que tu vas à la cantine ?
c. Nous sommes six élèves.

Évaluation

1 **Écoute la conversation. Vrai ou faux ? Justifie.**

a. Émilie propose à Lisa une sortie avec le club de sport.
b. La fête du collège est le 13 juillet.
c. La fête est de 9 heures à 17 heures.

d. Lisa est libre samedi soir.
e. Émilie va à la fête du collège.

... /5

2

Voici l'emploi du temps de Manon le lundi.
Trouve cinq différences avec ton emploi du
temps et présente-les à ton/ta camarade.

> À huit heures, Manon a cours de maths.
> Moi, j'ai cours de français.

LUNDI			
8 h 00	Mathématiques	11 h 15	Technologie
9 h 00	SVT	12 h 15	Cantine
10 h 00	Récréation	13 h 45	Français
10 h 15	Histoire-géo	14 h 45	Arts plastiques

... /5

3 **Réponds aux questions du sondage.**

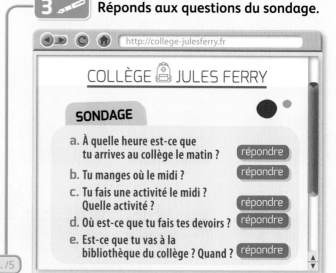

http://college-julesferry.fr

COLLÈGE JULES FERRY

SONDAGE

a. À quelle heure est-ce que tu arrives au collège le matin ? répondre
b. Tu manges où le midi ? répondre
c. Tu fais une activité le midi ? Quelle activité ? répondre
d. Où est-ce que tu fais tes devoirs ? répondre
e. Est-ce que tu vas à la bibliothèque du collège ? Quand ? répondre

... /5

4 **Lis le blog et réponds.**

a. Qui aime et qui n'aime pas les vacances ?
b. Associe les pseudos et les dessins.

Tommy21   Nono   Lisette   Cerise

http://blogdescollegiens.com

Les vacances scolaires et toi

Tommy21 J'adore les vacances d'été parce qu'on n'a pas de cours de maths, d'histoire-géo... Je fais du sport tous les jours, c'est super !

Nono Moi, je n'aime pas les vacances parce que je ne suis pas avec mes amis et parce que je ne fais pas d'activités !

Lisette Mes vacances préférées sont les vacances d'hiver parce que je vais au ski avec mes parents !

Cerise Moi, j'adore les vacances de Noël parce que nous allons dans la maison de mes grands-parents avec toute la famille !

... /5

... /20

Prêts pour
l'étape 6 ?

La mode et nous

1 Regarde les photos et trouve :
a. des vêtements.
b. des accessoires de mode.
c. des baskets.

2 La mode, c'est important pour toi ?

Apprenons à...
- parler de la mode
- parler de nos achats
- décrire notre style

Et ensemble...
créons le vêtement ou l'accessoire du collège

VIDÉO
SÉQUENCE 6

1

Parlons de la mode

1

DICO p. 118

Lis le blog ①. Les ados préfèrent quels vêtements ? Tu vois quels autres vêtements sur la page du blog ?

2 💬 EN PETITS GROUPES.

Quel est votre vêtement préféré ? Mettez en commun et élisez le « vêtement star » de la classe.

> Mon vêtement préféré, c'est mon pull bleu !

3 Lis l'article ②. Trouve sur le dessin les ressemblances entre les ados.

▶ *Ils ont les mêmes…*

4 Relis. Trouve la question posée dans l'enquête et les réponses possibles.

5 💬 PAR DEUX. **Est-ce que vous aimez les mêmes marques, les mêmes vêtements ?** Échangez et donnez deux exemples.

6 Lis le sondage ③. Vrai ou faux ? (Aide-toi du Vocabulaire.)

a. Quatre-vingt-seize pour cent des filles aiment porter des chaussures de marque.

b. Quatre-vingt-neuf pour cent des ados aiment un vêtement pour son style et sa couleur.

c. Soixante-dix-sept pour cent des filles achètent leurs vêtements avec leurs parents.

LES ADOS ET LA MODE : LES CHIFFRES

LES ADOS PORTENT DES CHAUSSURES DE MARQUE

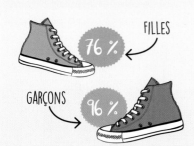

FILLES **76 %**

GARÇONS **96 %**

ILS AIMENT UN VÊTEMENT POUR...

LE STYLE, LA COULEUR **89 %**

11 % LA MARQUE

ILS ACHÈTENT LEURS VÊTEMENTS AVEC LEURS PARENTS

FILLES **70 %**

GARÇONS **57 %**

---

7 117 **Lis la suite du sondage. Écoute Arthur : ses pourcentages sont corrects ?**

ILS AIMENT LES SACS...

D'UNE MARQUE AMÉRICAINE CÉLÈBRE **73 %**

D'UNE AUTRE MARQUE **27 %**

ILS ACHÈTENT DES VÊTEMENTS...

45 % SANS MARQUE

DE MARQUE **55 %**

8 💬 EN PETITS GROUPES. **Faites le sondage du document** ③**. Partagez les résultats avec la classe et calculez les pourcentages.**

	Oui	Non
Est-ce que tu portes des chaussures de marque ?		
Tu aimes un vêtement pour le style, la couleur ?		
...		

> Dans la classe, 30 % des filles et 45 % des garçons portent des chaussures de marque.

---

118 **VOCABULAIRE**

Les vêtements (m.) (DICO p. 118)

un blouson	un pantalon
des chaussures (f.)	un pull
un jean	une robe
une jupe	un tee-shirt
une marque	

▶ n° 5 p. 84

Les nombres de 70 à 100

70	Soixante-dix	90	Quatre-vingt-dix
71	Soixante et onze	91	Quatre-vingt-onze
75	Soixante-quinze	95	Quatre-vingt-quinze
79	Soixante-dix-neuf	99	Quatre-vingt-dix-neuf
80	Quatre-vingts	100	Cent
81	Quatre-vingt-un		
85	Quatre-vingt-cinq		
89	Quatre-vingt-neuf		

▶ n° 1 p. 84

Parler des ressemblances

Nous avons **la même** jupe, **le même** jean, **les mêmes** vêtements.

┌─────────────────────────────────┐
│ VIRELANGUE 119

Le son [y] comme dans *tu* **et** [u] **comme dans** *vous*

Écoute et répète le plus rapidement possible.

Super le blouson de Suzon, le pull de Jules, la jupe rouge d'Anouk et les chaussures d'Arthur !

▶ n° 6 p. 84
└─────────────────────────────────┘

Parlons de nos achats

1 Regarde le site. Qu'est-ce qu'on peut acheter ? (Aide-toi du Vocabulaire.)

http://accessado.com

accessado

49,90 €

15,70 €

27,50 €

7,80 €

38,50 €

16,95 €

2 Écoute. Louis et Noémie regardent le site accessado.com. Ils aiment quels accessoires ?
Reconstitue deux phrases et associe.

Noémie   Louis

bonnet !   Cette

belle !   elle   ce

est   J'adore   casquette,

121 Les adjectifs démonstratifs

masculin	féminin	pluriel
ce bonnet	**cette** casquette	**ces** bonnets
cet accessoire	**cette** écharpe	**ces** casquettes
		ces accessoires

▶ n° 7 p. 85

3 PAR DEUX. **Quels accessoires du site vous aimez/n'aimez pas ?**

J'aime cette écharpe !

Moi, je n'aime pas ces lunettes !

122 Pour demander le prix

– Combien ça coûte ? = Ça coûte combien ?
– Combien coûte la casquette ?
= Combien elle coûte ? = Elle/La casquette coûte combien ?

Pour dire le prix

C'est sept euros quatre-vingts. (= 7,80 €)
Ça/Il/Elle coûte sept euros quatre-vingts.
C'est cher. / Ce n'est pas cher.

▶ n° 3 et 8 p. 84-85

4 Réécoute. Quel accessoire n'est pas cher ? Retrouve combien il coûte.

5 DICO p. 118

PAR DEUX. **À votre avis, combien coûtent ces accessoires dans votre pays ? Comparez vos prix avec les autres groupes.**

Cette ceinture coûte dix-neuf euros cinquante !

Dix-neuf euros cinquante ? Non, c'est cher ! Elle coûte neuf euros ?

a
b
c
d

6 **Lis le blog. Qu'est-ce qui est possible/pas possible pour Ori@ne, Lalilou et Gaby ?**

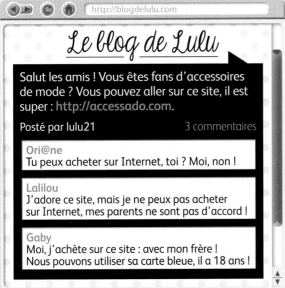

http://blogdelulu.com

Le blog de Lulu

Salut les amis ! Vous êtes fans d'accessoires de mode ? Vous pouvez aller sur ce site, il est super : http://accessado.com.

Posté par lulu21   3 commentaires

Ori@ne
Tu peux acheter sur Internet, toi ? Moi, non !

Lalilou
J'adore ce site, mais je ne peux pas acheter sur Internet, mes parents ne sont pas d'accord !

Gaby
Moi, j'achète sur ce site : avec mon frère ! Nous pouvons utiliser sa carte bleue, il a 18 ans !

7 **Et toi, est-ce que tu peux acheter sur Internet ? Quoi, par exemple ?**

8 EN PETITS GROUPES.
Choisissez une somme d'argent et achetez le maximum d'objets sur accessado.com.
Présentez vos achats à la classe.

34,50 €   39,75 €   47,80 €   55,95 €

Nous avons 47,80 €, on ne peut pas acheter ce sac parce qu'il coûte 49,90 €.

Mais on peut acheter cette écharpe et ce bonnet !

123   Le verbe *pouvoir*

Je <u>peu</u>**x**	Nous pouv**ons**
Tu <u>peu</u>**x**	Vous pouv**ez**
Il/Elle/On peu**t**	Ils/Elles peuv**ent**

⚠ *Pouvoir* + infinitif : Je peux **acheter** sur Internet. / Je <u>ne</u> peux <u>pas</u> **acheter** sur Internet.

▶ n° 9 p. 85

PHONÉTIQUE 124

Écoute le verbe *pouvoir* puis associe.

a. je p**eu**x
b. tu p**eu**x
c. il/elle/on p**eu**t
d. ils/elles p**eu**vent

1. « eu » se prononce comme dans « n**eu**f »
2. « eu » se prononce comme dans « d**eu**x »

▶ n° 10 p. 85

125   VOCABULAIRE

Les accessoires (m.) [DICO p. 118]

des baskets (f.)   un chapeau
un bonnet   une écharpe
un bracelet   des lunettes (f.)
une casquette   une montre
une ceinture   un sac à dos

▶ n° 2 p. 84

Les achats (m.)

une carte bleue   acheter
un prix   coûter
cher/chère

LEÇON 3

Décrivons notre style

1 Lis l'article. Trouve les ressemblances et les différences entre les trois styles.

MODAZINE

GARÇONS UN JEAN, UNE CASQUETTE, DES BASKETS : TROIS STYLES

Maxime Le style « rappeur »
>>> Le jean est large et très long.
>>> La casquette est noire.
>>> Les baskets sont larges et ouvertes.

Léo Le style « mode »
>>> Le jean est court.
>>> La casquette est originale !
>>> Les baskets sont rouges.

Ali Le style « collège »
>>> Le jean et les baskets sont classiques.
>>> La casquette est bleue et blanche.

---

126 Les articles indéfinis et les articles définis

articles indéfinis	articles définis
Il y a **un** jean.	**Le** jean de Maxime est large.
Il y a **une** casquette.	**La** casquette d'Ali est bleue et blanche.
Il y a **des** baskets.	**Les** baskets de Léo sont rouges.

▶ n° 4 et 11 p. 84-85

2 💬 EN PETITS GROUPES.
Cherchez des ressemblances et des différences entre vos vêtements.

> Nous portons tous un jean.
> Mais le jean d'Emma est court,
> le jean de Laura est long...

---

3 Lis le courrier des lecteurs. Associe les messages aux dessins.

À VOUS DE PARLER ! **MODAZINE**

1 Agathe, 12 ans
Pour les fêtes, toutes les filles aiment porter des robes, mais pas moi. Je peux porter quels vêtements pour avoir un style sympa ?

2 Clémence, 11 ans
Je cherche des chaussures sympas mais pas chères pour aller au collège. Je peux acheter quelle marque ?

3 Baptiste, 13 ans
Mes copains et moi, on n'a pas le même style. Pour eux, mes vêtements sont moches, pas à la mode. Quel style est à la mode ?

a  **b**  **c**

4 Relis et trouve les questions d'Agathe, Clémence et Baptiste. Réponds à leurs questions.

127 La question avec *quel(le)(s)*

	masculin	féminin
singulier	Je peux porter **quel vêtement** ?	Je peux acheter **quelle marque** ?
pluriel	Je peux porter **quels vêtements** ?	Je peux acheter **quelles marques** ?

▶ n° 12 p. 85

5 PAR DEUX. **Reconstituez quatre questions avec les éléments suivants.**

On porte quelles

jean pour l'été ?

Tu portes quels

chaussures avec une robe ?

marque de baskets ?

Les ados préfèrent quelle

vêtements au collège ?

J'achète quel

6 Associe les réponses de *Modazine* aux messages correspondants du courrier des lecteurs (activité **3**).

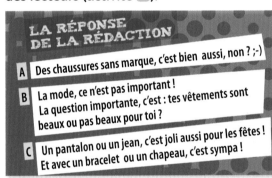

LA RÉPONSE DE LA RÉDACTION

A Des chaussures sans marque, c'est bien aussi, non ? ;-)

B La mode, ce n'est pas important !
La question importante, c'est : tes vêtements sont beaux ou pas beaux pour toi ?

C Un pantalon ou un jean, c'est joli aussi pour les fêtes !
Et avec un bracelet ou un chapeau, c'est sympa !

128 Pour donner une appréciation

Un pantalon, c'est bien ! / c'est sympa !
La robe est jolie / à la mode !
Les vêtements sont moches / ne sont pas beaux.

▶ n° 13 p. 85

7 EN PETITS GROUPES. **Choisissez un style de l'activité 1 et donnez votre appréciation.**

Le jean et le tee-shirt très larges, c'est moche !

Oui, mais la casquette est sympa !

Action !

8 Décris ton style pour *Modazine*.
Lis ton témoignage. La classe décide quel accessoire de mode tu gagnes !

QUEL EST TON STYLE ?

Envoie ton témoignage et une photo de toi à
MODAZINE. Gagne des accessoires de mode !

Mon COUrs d'ARTS PLASTIQUES

1. Associe les dessins de mode aux techniques.

a ▶ Le feutre

b ▶ Le crayon à papier

c ▶ La peinture

2. Tu préfères quelle technique ?

129 VOCABULAIRE

Le style
classique
court(e)
large
long(ue)
original(e) (masc. pl. : originaux)

Les appréciations (f.)
bien
joli(e)
moche (fam.)
sympa
à la mode

CULTURES

La mode, quelle histoire !

À CHAQUE ÉPOQUE DE L'HISTOIRE, LES MODES CHANGENT.
MAIS LES VÊTEMENTS NE SONT PAS TOUJOURS FACILES À PORTER...

Pour les garçons

14e siècle   17e siècle   1945   21e siècle

L'ARMURE
DES CHEVALIERS
FAIT 80 KILOS !

C'EST LA MODE
DES CHAUSSURES À TALONS ET
DES PERRUQUES LONGUES.

LE JEAN ARRIVE
EN FRANCE AVEC
LES AMÉRICAINS !

?

54 • Société : La mode, quelle histoire !

1 🌍 **Regarde** les images de l'article. Est-ce que ces modes existent dans l'histoire de ton pays ? Tu **connais** d'autres modes ?

3 **Inventez** un vêtement ou un accessoire difficile à porter au 21e siècle.

2 **Lis** les informations. Quelles modes sont faciles/difficiles à porter ?

Pour les filles

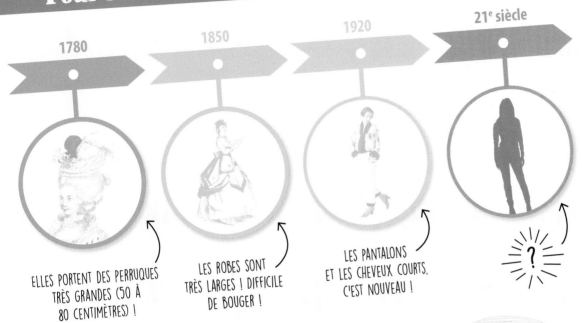

1780

1850

1920

21e siècle

ELLES PORTENT DES PERRUQUES
TRÈS GRANDES (50 À
80 CENTIMÈTRES) !

LES ROBES SONT
TRÈS LARGES ! DIFFICILE
DE BOUGER !

LES PANTALONS
ET LES CHEVEUX COURTS,
C'EST NOUVEAU !

?

ENSEMBLE POUR...

créer le vêtement ou l'accessoire du collège

1 EN PETITS GROUPES **Choisissez un vêtement ou un accessoire à personnaliser. Apportez-le.**

> On choisit quel vêtement ?
> Un tee-shirt ? Une casquette ?

2 **Écrivez un message sur votre collège. Inscrivez le message sur votre vêtement ou accessoire et décorez-le.**

> Être collégien au collège Rodin, c'est bien !

3 **Fixez le prix de votre vêtement ou accessoire.**

4 **Présentez votre création à la classe. Vos camarades vous posent des questions et donnent leur appréciation.**

> Combien il coûte ?

> 15 euros ?

> C'est cher pour les collégiens... 7 euros ?

LE COLLÈGE RODIN
C'EST BIEN

> Le tee-shirt coûte combien ?

> Il est super, mais il est cher !

LA CLASSE DONNE SON AVIS SUR...

LE MESSAGE   ++   +

LE STYLE
DU VÊTEMENT   +   ++

VIDÉO
SÉQUENCE 6

Entraînement

 Entraînons-nous

▶ **Les nombres de 70 à 100**

1 | **130** | AVEC LA CLASSE. **Choisissez une grille de loto et écoutez. Retrouvez les nombres sur votre grille.**

71		76		78		79

1

| | 80 | 82 | | | 87 | | 88 |
| 93 | | | 95 | | 99 | | 100 |

2

	70	72			73		79
81	82		85			88	
91		92		96	99		

▶ **Les accessoires**

2 | EN PETITS GROUPES. **Mémorisez le dessin pendant 1 minute. Puis cachez et dites le maximum de noms d'accessoires.**

▶ **Demander et dire le prix**

3 PAR DEUX. **Dis un prix. Ton/Ta camarade retrouve l'accessoire correspondant.**

Ça coûte neuf euros cinquante.

Les lunettes ?

9,50 €

18,75 €

39,80 €

6,90 €

15,40 €

▶ **Les articles indéfinis et définis**

4 EN PETITS GROUPES. **Choisissez un accessoire et un vêtement dans la classe. Préparez deux devinettes et posez-les à la classe.**

C'est **un** sac à dos bleu et rouge.

C'est **le** sac à dos de Thomas !

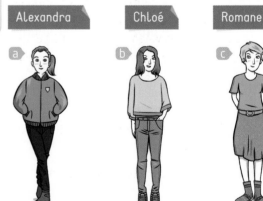 Entraîne-toi

▶ **Les vêtements**

5 | **131** | **Écoute et associe les prénoms aux dessins.**

Alexandra   Chloé   Romane

a   **b**   **c**

▶ **PHONÉTIQUE. Les sons [y] et [u]**

6 | **132** | **Écoute. Combien de fois tu entends les sons [y] comme dans *tu* et [u] comme dans *vous* ?**

▶ Les adjectifs démonstratifs

7 **Transforme comme dans l'exemple.**

▶ *La jupe est chère !* > ***Cette** jupe est chère !*

a. Je n'aime pas **le** pantalon.

b. **Les** chapeaux sont chers.

c. **L'**accessoire est super !

d. **L'**écharpe est rouge et bleue.

e. Je déteste **les** casquettes !

▶ Demander et dire le prix

8 **Écoute. Associe les dialogues et les dessins.**

133

| dialogue 1 | dialogue 2 | dialogue 3 |

▶ Le verbe *pouvoir*

9 **Fais des phrases, comme dans l'exemple.**

▶ *ne pas porter de casquette au collège (on)*
  > *On **ne peut pas porter** de casquette au collège.*

a. acheter une ceinture sur ce site Internet (tu)

b. ne pas porter de chaussures dans la maison (nous)

c. acheter des vêtements avec sa sœur (elle)

d. ne pas parler de mode en classe (vous)

e. regarder ces pantalons (je)

▶ PHONÉTIQUE. La prononciation du verbe *pouvoir*

10 **Écoute et répète les mots. Classe-les dans le tableau.**

134

peut	peuvent

a eux   b neuf   c heure

d couleur   e bleu

▶ Les articles indéfinis et définis

11 **Fais deux phrases, comme dans l'exemple.**

| Thomas | jean | sympa |

▶ *Thomas porte **un** jean.*
  Le jean de Thomas est sympa.

a | Abou | lunettes | rouges |

b | Flora | pantalon | super |

c | Paul | casquette | originale |

d | Romy | bracelets | chers |

▶ La question avec *quel(le)(s)*

12 **Lis les réponses et imagine les questions avec *quel(le)(s)*.**

▶ *J'ai <u>un style classique</u>.* > *Tu as quel style ?*

a. Je regarde <u>les accessoires de ce site.</u>

b. J'aime <u>ce jean</u>.

c. Aujourd'hui, je porte <u>ma jupe à fleurs</u>.

d. Je préfère <u>les lunettes de Martin</u>.

e. J'achète <u>le sac bleu</u>.

▶ Donner une appréciation

13 **Donne une appréciation sur ces vêtements.**

La jupe est à la mode !

Évaluation

1 🔊 135 **Écoute et associe.**

1. 15,95 €
2. 11,50 €
3. Chers
4. 12,70 €
5. 18,80 €

.../5

2 💬 PAR DEUX.

Choisis un accessoire de chaque catégorie. Explique pourquoi à ton/ta camarade.

> Tu préfères quel sac à dos ?

> Je préfère le sac à dos vert parce que le sac à dos rose et violet est moche !

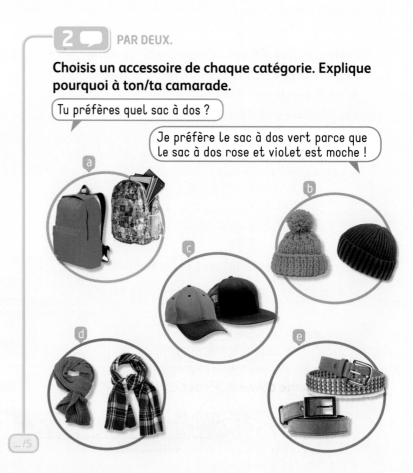

.../5

3 📖 **Lis le mail de Juliette et réponds aux questions.**

De : Juliette
À : Toi

Salut !
Tu vas à la fête de Laura, demain ?
À quelle heure ? Moi, j'ai un problème.
Je n'ai pas de vêtements sympas pour une fête…
Je n'aime pas les jupes, mes jeans sont moches et je n'ai pas de beaux tee-shirts ! 🙁
Et toi, en général, quels vêtements tu portes pour une fête ?
Juliette

a. Où va Juliette demain ?
b. Elle a quel problème ?
c. Quel vêtement elle n'aime pas porter ?
d. Pour elle, comment sont :
   1. ses jeans ?
   2. ses tee-shirts ?

4 ✏️

Écris un mail à Juliette. Réponds à ses questions.

De : Moi
À : Juliette
|

.../5

.../5

.../20

> Prêts pour l'étape 7 ?

1 Compréhension de l'oral

Lis les questions. Écoute deux fois le message téléphonique puis réponds aux questions.

1. Quand est-ce que Jules va à la fête de la Musique ?
   - a Lundi.
   - b Mardi.
   - c Mercredi.

2. La fête commence à quelle heure ?

3. Jules donne rendez-vous où ?

4. Jules demande d'apporter sa :

.../10

2 Compréhension des écrits

Lis le message d'Anouk. Réponds aux questions.

De : anoukjade@yahoo.fr

Objet : Un site intéressant

Salut,
Tu connais le site Internet « Ma mode à moi » ? Il y a des vêtements et des accessoires pas chers !
Voilà mes achats : une robe rose avec une ceinture noire. La robe est magnifique ! Elle coûte 20 euros.
Pour Samuel : tu peux acheter son cadeau d'anniversaire parce qu'il y a un beau chapeau noir.
Bises
Anouk

1. Qu'est-ce qu'on peut trouver sur le site Internet « Ma mode à moi » ?

2. L'achat d'Anouk est :

3. Combien coûte l'achat d'Anouk ?

4. Qu'est-ce que tu peux acheter pour l'anniversaire de Samuel ?

.../10

3 ✎ Production écrite

Exercice 1 ▸ remplir un formulaire　.../10

Complète cette fiche pour présenter ta vie au collège.

Nom	Prénom	Âge	Nom de mon collège
///////////	///////////	///////////	///////////
Heure de début et de fin des cours			Ma classe
///////////////////////////////			///////////
Date de début et de fin des vacances d'été (jour et mois)		2 matières préférées à l'école	
///////////////////////////////		///////////	

Exercice 2 ▸ écrire un message court　.../10

Écris à un ami(e) français(e) pour lui parler de ton collège (est-ce qu'il y a une cantine ? une bibliothèque ? des ordinateurs ?...) et de ton emploi du temps. (40 mots minimum)

.../20

4 💬 Production orale ....

Exercice 1　... /5

Tu te présentes (parle de toi, de ta famille) puis tu parles d'une journée habituelle au collège (Quel est ton emploi du temps ? Quels sont tes horaires ? Quand est-ce que tu fais tes devoirs ? Est-ce que tu fais une activité après l'école ?).

Exercice 2　... /5

Pose des questions à un(e) camarade à partir des mots suivants.

> Marque ?　　Mode ?　　Récréation ?　　Vacances ?　　Note ?　　Cantine ?

Exercice 3　.../15

Dans un magasin de vêtements. À deux : un vendeur/une vendeuse et un client(e).
Tu veux acheter des vêtements. Tu poses des questions au vendeur/à la vendeuse sur les vêtements (la couleur, la forme, le prix, etc.). Tu achètes trois ou quatre articles.

.../25

... /65

Chez nous

1 Regarde les photos et trouve :
a. une chambre.
b. un bureau.
c. une maison.

2 De quelle(s) couleur(s) est ta chambre ?

Apprenons à…
• décrire notre logement
• organiser notre chambre
• parler de nos activités quotidiennes

Et ensemble…
imaginons un logement original

VIDÉO
SÉQUENCE 7

Décrivons notre logement

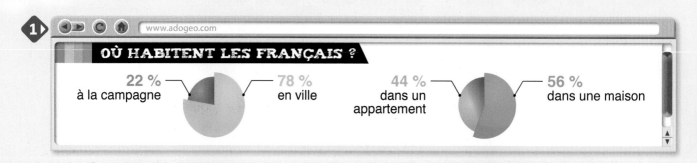

OÙ HABITENT LES FRANÇAIS ?

22 % à la campagne — 78 % en ville — 44 % dans un appartement — 56 % dans une maison

Mon Mag

La maison de rêve de...

Cette semaine, nous vous présentons la maison de rêve de Yanis. Il a 12 ans et il est fan de skate-board. Voici ses dessins et ses explications !

Dans ma maison de rêve, le salon est bleu et blanc. Il y a des étagères, un grand canapé blanc et une petite table.

La cuisine est simple et grande. Il y a une table et des chaises pour manger. Pour la décoration : un grand tableau pour écrire sur le mur.

Dans la chambre, il y a un lit et un bureau. Je peux faire du skate !

Dans la salle de bains, il y a une baignoire et un lavabo.

Pour la décoration des toilettes : du papier-toilette sur les murs, c'est drôle !

Yanis

1 Lis le sondage ①. Associe chaque pourcentage à une photo.

2 EN PETITS GROUPES. **Où habitent les élèves de la classe ? Faites une enquête.**

	J'habite à la campagne.	J'habite en ville.	J'habite dans une maison.	J'habite dans un appartement.
Nombre d'élèves				

3 Lis l'article ②. Retrouve le nom de la pièce pour chaque dessin. (Aide-toi du Vocabulaire.)

4 Écoute. De quoi parlent Clara et Milo ?

5 Réécoute. Associe.

Clara   Milo   aime   n'aime pas

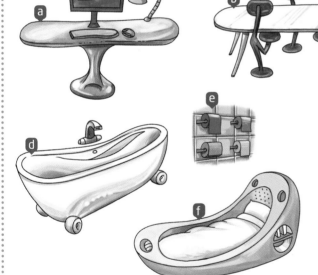

▶ *Dans la chambre, Clara aime le lit.* > f

6 **Et toi, qu'est-ce que tu aimes et n'aimes pas dans la maison de rêve de Yanis ?**

7 PAR DEUX. **Décris ton logement ou le logement d'un(e) ami(e). Ton/Ta camarade compte le nombre de pièces.**

J'habite dans une maison.
Il y a un grand salon avec...

138 VOCABULAIRE

Le logement
un appartement   une maison

Les meubles (m.)
un bureau   une étagère
un canapé   un lit
une chaise   une table

Les pièces (f.)   DICO p. 119
la chambre   le salon
la cuisine   les toilettes
la salle de bains

La salle de bains
une baignoire   un lavabo
▶ n° 1 p. 98

Dire où on habite
J'habite en ville/à la campagne, dans un appartement/une maison.

VIRELANGUE 139

Les sons [s] **comme dans *sept* et** [z] **comme dans *seize***
Écoute et répète le plus rapidement possible.

Suzie et Zaza sont dans une maison de soixante-seize pièces avec six salons, treize cuisines et soixante-douze chaises.
▶ n° 5 p. 99

LEÇON 2

Organisons notre chambre

1 Lis les SMS. Vrai ou faux ?

> Salut Chafia ! J'ai une nouvelle chambre, elle est super belle 😊 Tu viens chez moi visiter ?

> Salut Coralie. Je ne peux pas, je suis avec ma cousine.

> Tu peux venir avec elle 😊

> OK ! On vient à 15 h, d'accord ?

> Je ne peux pas à 15 h. Vous venez à 17 h ?

> D'accord !

a. Chafia a une nouvelle chambre.
b. Coralie invite Chafia dans sa maison.
c. La cousine de Chafia ne peut pas venir.
d. Chafia et sa cousine viennent à 15 h.

140 Le verbe *venir*

Je <u>vien</u>**s**	Nous ven**ons**
Tu <u>vien</u>**s**	Vous ven**ez**
Il/Elle/On <u>vien</u>**t**	Ils/Elles <u>vien</u>**nent**

▶ n°2 p. 98

PHONÉTIQUE 141

Écoute ces deux formes.
Tu entends la troisième personne du singulier ou du pluriel ? ▶ n°6 p. 99

Mon C◭URS de GÉOMÉTRIE

Lis puis réponds.
Pour parler de la surface d'un logement ou d'une pièce, on utilise le mètre carré.

Cette chambre fait 15 m².

5m
3m

a. Que signifie m² ?
b. Pourquoi la chambre fait 15 m² ?

2 💬 EN PETITS GROUPES. **Invite tes camarades. Ils/Elles acceptent ou refusent.**

> Vous venez regarder un film chez moi cet après-midi ?

> On ne peut pas, on...

3 142 Écoute Coralie et Chafia plusieurs fois. Comment est la chambre de Coralie ? Choisis le bon dessin.

a

b

143 Les prépositions de lieu

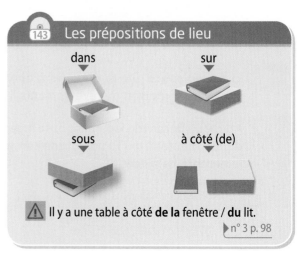

dans   sur

sous   à côté (de)

⚠ Il y a une table à côté **de la** fenêtre / **du** lit.

▶ n°3 p. 98

4 💬 PAR DEUX. **Décris ta chambre. Ton/Ta camarade la dessine.**

> Dans ma chambre, il y a un petit lit.
> À côté, il y a...

5 **Lis l'article ci-dessous et choisis l'affirmation correcte. Justifie ta réponse.**
C'est un article pour :
a. acheter un bureau.
b. donner des conseils pour organiser son bureau.
c. décrire le bureau d'un adolescent.

144 L'impératif pour donner des conseils

	présent		impératif
Verbes en –*ER*	**tu** installes	>	installe
	nous installons	>	installons
	vous installez	>	installez
Autres verbes	**tu** fais	>	fais
	nous faisons	>	faisons
	vous faites	>	faites

▶ n° 4 et 7 p. 99

6 **Relis l'article. Trouve sur les photos chaque objet cité.**

Pratique

Range ton bureau !

Organise ton bureau pour bien faire tes devoirs.

Fais de la place sur ton bureau : range tes cahiers et tes livres sur des étagères .

Affiche ton emploi du temps sur le mur.

Install ton bureau à côté d'une fenêtre. Et, pour le soir, une lampe , c'est important !

Range tes stylos dans des pots .

33

7 PAR DEUX. **Reprenez les dessins de vos chambres (activité 4). Donne des conseils à ton/ta camarade pour organiser sa chambre. Puis présentez vos conseils à la classe.**

145 VOCABULAIRE

La maison	Les objets (m.)
une fenêtre	une lampe
un mur	un pot
chez (moi, toi, lui…)	

L'organisation (f.)

afficher   organiser
installer   ranger

▶ n° 8 p. 99

Parlons de nos activités quotidiennes

 Écoute les conversations. Qui téléphone à qui ? Qui répond ?

- Dialogue a
- Dialogue b
- Dialogue c

- Emma
- Antonin
- La mère d'Emma
- Le père d'Emma

 Réécoute et réponds.

a. Pourquoi Emma ne peut pas répondre au téléphone dans les dialogues a et b ?

b. Pourquoi Antonin téléphone à Emma ?

 Pour téléphoner et répondre au téléphone

– Allô !

– Bonjour, c'est Antonin.

– Est-ce que je peux parler à Emma ? / Est-ce qu'Emma est là, s'il vous plaît ?

– Ne quitte pas. / Je suis désolée, tu peux appeler/rappeler à 11 heures ?

▶ n° 9 p. 99

3 PAR DEUX. **Tu téléphones à ton/ta camarade. Il/Elle n'est pas là. Son frère ou sa sœur répond.**

 Lis le document. Qu'est-ce que c'est ?

LE JOURNAL du collège

Le week-end de...

EMMA

ÉLÈVE DE 6ᵉ

Journal
À quelle heure tu te lèves le week-end ?

Emma
Je me lève tard, à 10 heures, et je me prépare : je me lave, je m'habille.

Journal
Qu'est-ce que tu fais le samedi ?

Emma
L'après-midi, je vais chez une copine ou nous nous promenons en famille. Le soir, je regarde la télé avec mes parents.

Journal
Qu'est-ce que tu fais le dimanche ?

Emma
Je reste à la maison. Le matin, je range ma chambre et, l'après-midi, j'écoute de la musique ou je joue sur l'ordinateur. Le dimanche, je me couche tôt parce que, le lundi, je vais au collège.

8

9

5 Relis et observe les dessins. Associe aux jours correspondants et mets les activités d'Emma dans l'ordre.

Le samedi   Le dimanche

148 Les verbes pronominaux

Je **me** prépare
Tu **te** prépares
Il/Elle/On **se** prépare
Nous **nous** préparons
Vous **vous** préparez
Ils/Elles **se** préparent

⚠️ je **m'**habille
tu **t'**habilles
il/elle/on **s'**habille
ils/elles **s'**habillent

▶ n° 10 p. 99

6 💬 PAR DEUX. **Dis à ton/ta camarade dans quel ordre tu fais les activités suivantes la semaine.**

aller au collège   se préparer   se lever

se coucher   faire du sport   regarder la télé

faire ses devoirs   jouer sur l'ordinateur

Action!

7 EN PETITS GROUPES. **Préparez une liste de questions sur les activités du week-end et interviewez un(e) camarade. Écrivez un article. La classe choisit les deux meilleures interviews pour le journal du collège.**

149 VOCABULAIRE

Les activités quotidiennes

rester (à la maison)
se coucher (tôt/tard)
s'habiller
se laver
se lever (tôt/tard)
se préparer
se promener   DICO p. 119

CULTURES

DRÔLES DE MAISONS

En France, vous pouvez visiter des maisons bizarres et originales.

La « Maison Picassiette », le logement de Raymond Isidore à Chartres. La maison et les meubles sont en mosaïque.

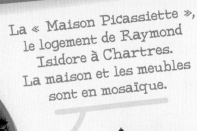

La « maison Dutel », dans une petite ville à côté d'Avignon.

PARIS

STRASBOURG

CHARTRES

NANTES

LYON

Le « Palais idéal du facteur Cheval » de Joseph Ferdinand Cheval, dans une petite ville à côté de Lyon.

BORDEAUX

AVIGNON

MARSEILLE

La « Maison-atelier » de Danielle Jacqui, dans une petite ville à côté de Marseille.

3 Associe chaque maison à une ou des technique(s).

a la sculpture **b** la mosaïque **c** la peinture

1 🌍 Est-ce que tu connais des maisons bizarres ou originales, dans ton pays ou dans le monde ?

EN PETITS GROUPES

2 Lis l'article. Trouve où sont les maisons sur la carte.

4 Votez pour votre maison préférée et partagez votre choix avec la classe.

ENSEMBLE POUR...

imaginer un logement original

1 EN PETITS GROUPES Choisissez :
– un lieu (ville ou campagne) ;
– un type de logement (maison ou appartement) ;
– les pièces du logement ;
– un élément bizarre, original.

> Moi, je préfère une maison en ville avec...

3 Dessinez le logement.

2 Décidez quels meubles il y a dans chaque pièce.

> Dans le salon, installons un très grand canapé...

4 Affichez vos dessins et présentez-les.

> À droite, il y a le salon avec un très grand canapé pour regarder la télé...

LA CLASSE DONNE SON AVIS SUR...

LE LOGEMENT   + ++ ++   LA PRÉSENTATION   + ++ ++

... ET CHOISIT LE LOGEMENT LE PLUS ORIGINAL !

VIDÉO ▶ SÉQUENCE 7

Entraînement

👥 Entraînons-nous

▶ **Les pièces et les meubles**

1 ⏱ EN PETITS GROUPES. **Observez cette maison. Puis cachez le dessin et faites la liste des pièces, des meubles et des objets.**

> Dans la chambre rose, il y a un grand lit et…

▶ **Le verbe *venir***

2 ⏱ EN PETITS GROUPES. **Choisis un pronom. Les autres disent la forme correcte du verbe *venir*.**

je	tu	il	elle	on
nous	vous	ils	elles	

▶ **Les prépositions de lieu**

3 EN PETITS GROUPES. **Choisis un meuble ou un objet de la maison (exercice 1) et dis où il se trouve. Les autres devinent.**

> C'est un meuble. Il est dans le salon à côté de la lampe.

> C'est la table ?

▸ **L'impératif pour donner des conseils**

4 PAR DEUX. **Observez la classe.**
Donnez des conseils aux élèves de cette
classe pour l'organiser.

> Installez le bureau du professeur à côté du tableau !

👤 Entraîne-toi

▸ **PHONÉTIQUE. Les sons** [s] **et** [z]

5 **Écoute. Combien de fois tu entends le son** [s]
comme dans sept **et** [z] **comme dans** seize **?**

[150]

▸ **PHONÉTIQUE. Le verbe** venir

6 **Trouve les formes du verbe** venir **où il y a**
le son [ɛ̃] **ou le son** [ɛn].

a Le son [ɛ̃] comme dans brésilien.

b Le son [ɛn] comme dans brésilienne.

venons   vient   viens

viennent   venez

▸ **L'impératif pour donner des conseils**

7 **Conjugue les verbes à l'impératif, à la personne**
demandée.
a. Acheter un ordinateur (tu)
b. Aller à la maison (nous)
c. Venir chez nous (vous)
d. Faire de la place sur ton bureau (tu)
e. Ranger vos chambres (vous)
f. Inviter des amis (tu)

▸ **La maison et les objets**

8 **Retrouve les mots.**
▸ un aubrue > un bureau

a un rum   **c** un top

b une renêfet   **d** une plame

▸ **Téléphoner et répondre au téléphone**

9 **Mets le dialogue dans le bon ordre.**
a. – Bonjour Marie.
b. – D'accord.
c. – Est-ce que Clémentine est là, s'il vous plaît ?
d. – Bonjour, c'est Marie.
e. – Ne quitte pas… Non, elle n'est pas là. Tu peux
    rappeler à 13 heures ?
f. – Allô !

▸ **Les verbes pronominaux**

10 **Associe pour former le maximum de phrases.**

elles   tu   il   nous   vous   on   je

me   vous   t'   se   te   s'   nous   m'

habille dans la chambre   promenons le samedi

levez tard   lave dans la salle de bains

préparent pour une fête   couches tôt

appelles comment ?

Évaluation

1 🎧 151 **Écoute et réponds.**

a. Qui téléphone à qui ? Qui répond ?

| Dialogue 1 | Dialogue 2 |

| Émilie | Hasan | Le père d'Hasan |

b. Qu'est-ce qu'ils font aujourd'hui ?
- Hasan : …
- Émilie et Johanna : …

c. Hasan invite Émilie et Johanna. Vrai ou faux ?

… /5

2 ✏️ PAR DEUX.

Écris un SMS à ton/ta camarade pour proposer une activité. Il/Elle refuse et explique pourquoi il/elle ne peut pas.

Tu viens jouer aux jeux vidéo chez moi ?

Non, je ne peux pas. Je me promène avec ma grand-mère.

… /5

3 📖 **Lis le mail de Nino. Trouve sa chambre.**

De : Nino

À : Moi

Salut !
Tu as une nouvelle chambre, c'est super ! Moi, je n'aime pas ma chambre. Le bureau est à côté du lit !
Sur mon bureau, il y a des livres, des cahiers, des stylos. L'ordinateur est sur une petite table à côté de la fenêtre. Tu as des conseils pour organiser ma chambre ?
On s'appelle cet après-midi ?
Nino

a

b

c

… /5

4 💬 PAR DEUX. **Téléphone à Nino. Donne des conseils pour organiser sa chambre.**

… /5

… /20

Prêts pour l'étape 8 ?

Partons en voyage !

1 Regarde les photos et trouve :
a. une valise.
b. des destinations de vacances.

2 En petits groupes. Faites une liste de mots sur le thème du voyage.

Apprenons à...
• parler de destinations de rêve
• faire des projets de vacances
• raconter un voyage

Et ensemble...
préparons un voyage de classe

VIDÉO
SÉQUENCE 8

Parlons de destinations de rêve

1 Lis l'affiche ① et choisis la bonne réponse.
Un carnet de voyage, c'est :
a. un guide de voyage.
b. un cahier pour écrire sur un voyage.
c. un magazine sur les voyages.

2 Relis l'affiche ①. Vrai ou faux ?
a. Le concours est pour tous les âges.
b. On peut gagner un voyage de classe.
c. Le thème du concours est le voyage de classe.

3 Écoute. De quoi parlent les élèves ? Pourquoi ?

4 Réécoute. Quelles sont leurs destinations de rêve ?

Éva	Paul	Julia	Marius

5 Et toi ? Tu voudrais visiter quel pays ? Compare avec la classe.

6 Observe et lis le jeu ②. Quel est l'itinéraire de voyage du jeu ?
a. Europe ✈ Asie ✈ Océanie ✈ Amérique ✈ Afrique
b. Europe ✈ Amérique ✈ Océanie ✈ Asie ✈ Afrique
c. Europe ✈ Afrique ✈ Amérique ✈ Océanie ✈ Asie

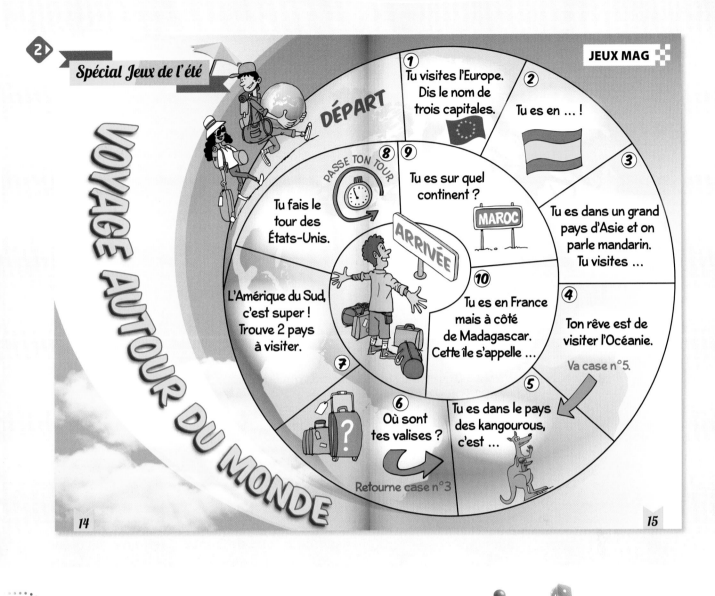

Spécial Jeux de l'été

JEUX MAG

VOYAGE AUTOUR DU MONDE

DÉPART

1. Tu visites l'Europe. Dis le nom de trois capitales.

2. Tu es en … !

3. Tu es dans un grand pays d'Asie et on parle mandarin. Tu visites …

4. Ton rêve est de visiter l'Océanie. Va case n°5.

5. Tu es dans le pays des kangourous, c'est …

6. Où sont tes valises ? Retourne case n°3

7. L'Amérique du Sud, c'est super ! Trouve 2 pays à visiter.

8. Tu fais le tour des États-Unis.

PASSE TON TOUR

9. Tu es sur quel continent ?

10. Tu es en France mais à côté de Madagascar. Cette île s'appelle …

ARRIVÉE

MAROC

14   15

---

7 EN PETITS GROUPES. **Jouez au jeu « Voyage autour du monde »** (document ②). **Aidez-vous du** Vocabulaire **!**

---

153 VOCABULAIRE

Les pays (m.)

l'Angleterre (f.)
l'Australie (f.)
le Brésil
la Chine
la Colombie
l'Espagne (f.)
les États-Unis (m.)
la France
la Grèce
le Japon
le Maroc
le Mexique

Les îles (f.)

Madagascar
La Réunion (région et département français)

Les capitales (f.)

Londres   Rome   Madrid

Les continents (m.) DICO p. 120

l'Afrique (f.)
l'Amérique (f.)
l'Asie (f.)
l'Europe (f.)
l'Océanie (f.) ▶ n° 1 et 5 p. 110

Parler de ses rêves

Je **voudrais** visiter les États-Unis.
Je **rêve de** faire le tour du monde.

VIRELANGUE 154

Le son [ɔ̃] comme dans *non*

Écoute et répète le plus rapidement possible.

Simon et Léon font le tour du monde. Londres, la Colombie, le Japon et la Réunion sont leurs destinations ! n° 6 p. 110

Faisons des projets de vacances

1 Observe le site vacado.fr. Une colonie de vacances, c'est :
a. des vacances pour les familles. **b.** un camp de vacances pour les ados. **c.** un voyage de classe.

2
DICO
p. 120
À ton avis, on peut faire les activités suivantes dans quelles colonies ?

| se baigner | la voile | la randonnée | la plongée | visiter des villes |

| le camping | l'escalade | aller à la plage | le canoë |

3 155 Regarde encore le site et écoute Clément et Yamina. Ils parlent de quoi ?

4 155 Réécoute. Ils partent où en vacances ?

> 156 Le verbe *partir*
>
> Je pa**rs**
> Tu pa**rs**
> Il/Elle/On par**t**
> Nous part**ons**
> Vous part**ez**
> Ils/Elles part**ent**
>
> ▸ n° 9 p. 111

5 💬 EN PETITS GROUPES. Est-ce que vous partez en vacances cet été ?
Discutez puis partagez avec la classe.

> Dans notre groupe, nous partons tous en vacances. Marina et Julia partent en colonie à la montagne. Moi, je pars chez mes grands-parents à la mer.

Mon **COURS** de gé🌐graphie

Regarde la carte de France et retrouve : un océan, trois mers, cinq fleuves, une capitale et trois chaînes de montagne.

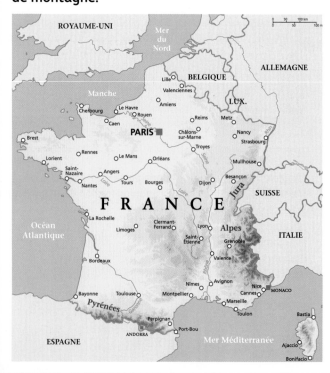

6 Lis la page de vacado.fr ci-dessous. C'est le programme de quelle colonie (**1** p. 104) ?

http://vacado.fr

Pour qui ?
Les ados de 11 à 14 ans

Où ?
Dans les Alpes

Quand ?
Du 6 au 13 juillet

Qu'est-ce qu'ils vont faire ?

Dans cette colonie, les ados vont faire un sport différent chaque jour (canoë, escalade, randonnée, etc.). Ils vont se baigner dans les rivières et vont faire du camping dans la montagne.

Inscription

7 Relis. Les ados vont faire quelles activités ?

157 Le futur proche

Verbe aller au présent + infinitif du verbe

Je	vais	partir
Tu	vas	partir
Il/Elle/On	va	partir
Nous	allons	partir
Vous	allez	partir
Ils/Elles	vont	partir

⚠ À la forme négative :
Je **ne** vais **pas** partir.

▶ n° 3 et 10 p. 110-111

Action !

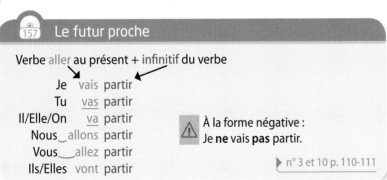

8 EN PETITS GROUPES. **Faites le programme de la colonie « Campagne ». Puis partagez avec la classe.**

158 VOCABULAIRE

Les lieux (m.)

un fleuve
une mer
une montagne
un océan
une plage
une rivière

Les activités de vacances

DICO p. 120

le camping
le canoë
l'escalade (f.)
la plongée
la randonnée
la voile
se baigner
visiter ▶ n° 2, 7 et 8 p. 110-111

Racontons un voyage

1 Lis l'article. Qu'est-ce qu'on propose de faire ?

2 Cherche dans l'article des exemples de destinations. Classe-les.

- pays féminin
- ville
- pays masculin
- île
- pays pluriel

---

159 Les prépositions devant les noms de pays, d'îles et de villes

	Tu pars / Tu es...
En + nom de pays féminin	> **en** Grèce
Au + nom de pays masculin	> **au** Maroc
Aux + nom de pays pluriel	> **aux** États-Unis
À + une île ou une ville	> **à** La Réunion, **à** Paris

⚠ En général, les noms de pays féminins se terminent par *-e*.

▶ n° 11 p. 111

---

3 💬 EN PETITS GROUPES. **Choisissez un type de voyage et mettez-vous d'accord sur une destination.**

- un week-end en hiver
- une semaine en automne
- des vacances en été
- un voyage au printemps

- Nous partons une semaine en automne ? Où ?
- En Espagne ?

4 Observe et lis le carnet de voyage. Quelle est la destination ?

Voyage au Maroc

Ici, il fait très beau, mais on ne peut pas se baigner comme au nord ou à l'ouest du pays.

La journée, il fait très chaud (30 degrés !) et, la nuit, il fait froid !

Nous sommes au sud-est, c'est le désert ! On fait des randonnées et du camping.

Le soleil tous les jours : il pleut seulement 2 ou 3 jours par an.

Demain : direction l'Atlas, au centre du pays. Il neige sur les montagnes !

5 Relis. Où se trouvent les lieux suivants ?

Le désert | La mer/l'océan | Les montagnes de l'Atlas

160 Pour localiser

Au **nord** (de)   Au **sud** (de)
À l'**ouest** (de)   À l'**est** (de)
Au **centre** (de)

Nord
Ouest ← → Est
Sud

⚠️ L'Atlas est au centre **du** pays.
Le désert est à l'est **des** montagnes.

▶ n° 4 et 14 p. 110-111

6 Relis encore. Il fait quel temps ? Associe.

dans les montagnes | dans le désert

a.   b. 🌡️   c. ❄️   d. 🌡️

161 Pour parler du temps

Il fait beau.
Il y a du soleil.
Il pleut.
Il neige.
Il fait chaud.
Il fait froid.
Il fait 35 degrés (35 °C).

▶ n° 12 p. 111

PHONÉTIQUE 162

Les consonnes finales muettes

a. **Écoute et trouve les consonnes finales qui ne se prononcent pas.**
b. **Tu connais d'autres mots avec des consonnes finales muettes ?**

▶ n° 13 p. 111

7 💬 Il fait quel temps aujourd'hui dans ta ville ?

Action!

8 EN PETITS GROUPES. **Écrivez un extrait de carnet de voyage (votre destination est celle de l'activité ③).**
Parlez de vos activités et du temps.
Puis la classe vote pour le gagnant du concours (document ① de la leçon 1).

163 VOCABULAIRE

Le temps (DICO p. 120)
la neige   la pluie   le soleil

La température
chaud   froid

Les points cardinaux (m.)
le nord   le sud   l'est   l'ouest

CULTURES

PHOTOS « MYSTÈRE »

Devine où c'est : en France ? dans un autre pays ?

19

EN PETITS GROUPES

1 🌍 Dans ton pays, il y a des climats et des paysages différents ?

2 Observez le document et regardez les photos. À votre avis, est-ce que c'est en France ?

3 Associe les phrases aux photos. Puis vérifie tes réponses à l'activité **2**.

a. Cette ville a le nom de la capitale française, mais elle est au Texas, aux États-Unis.

b. La Guyane fait partie de la France mais elle se trouve au nord du Brésil.

c. Cette île volcanique est aussi un département français ; elle est à l'est de Madagascar.

d. Nous sommes en Antarctique, sur la Terre-Adélie. Cette terre est française !

e. Nous ne sommes pas dans l'Ouest américain ! Nous sommes à côté de Roussillon, une petite ville du sud de la France !

EN PETITS GROUPES

4 Choisissez une photo de paysage et faites deviner le lieu à la classe. **Donnez des indices.**

> C'est dans l'océan Atlantique, au nord de...

ENSEMBLE POUR...

préparer un voyage de classe

1 EN PETITS GROUPES

Choisissez une destination et une saison. Faites des recherches sur le climat et les activités à faire.

> On part en France ?

> D'accord ! En été, il fait beau et chaud ! Je rêve de me baigner dans la Méditerranée !

> Moi, je voudrais aussi aller dans les Alpes...

2 Préparez votre itinéraire.

Paris
les Alpes (Chamonix)
Cannes Nice

3 Imaginez votre programme pour une semaine de voyage.

Le 24 juin : Nous arrivons à Paris.
Le 25 juin : Nous visitons la ville.
Le soir, nous partons dans les Alpes.
Le 26 juin : Nous faisons de la randonnée le matin et, l'après-midi, du canoë...

4 Présentez votre voyage de classe aux autres groupes. Choisissez votre forme de présentation.

> Nous allons partir en France, du 24 au 30 juin. Voici notre itinéraire : nous allons aller à Paris...

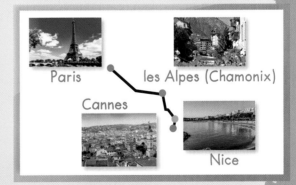

Paris   les Alpes (Chamonix)
Cannes
Nice

LA CLASSE DONNE SON AVIS SUR...

LA DESTINATION ET L'ITINÉRAIRE + ++ ++ LE PROGRAMME + ++ ++

... ET CHOISIT LE VOYAGE À FAIRE ENSEMBLE !

VIDÉO SÉQUENCE 8

Entraînement

👥 Entraînons-nous

▶ **Les pays et les continents**

1 EN PETITS GROUPES.
Classez les noms de pays par continent.

L'Afrique · L'Europe · L'Amérique · L'Océanie · L'Asie

Les Philippines · L'Inde · Le Portugal

la Nouvelle-Zélande · le Canada · L'Égypte

la Côte d'Ivoire · La Pologne · Singapour

▶ **Les activités de vacances**

2 EN PETITS GROUPES. Mime une activité de vacances. Tes camarades devinent.

▶ **Le futur proche**

3 EN PETITS GROUPES. Lisez et imaginez ce qu'ils vont faire ensuite.
▶ Lisa prépare sa valise. > *Elle va partir en voyage !*
a. Benjamin arrive à Paris.
b. Lise et Nino partent en colonie à la campagne.
c. Djamel et sa famille vont à la plage.
d. Les élèves partent en voyage de classe à la montagne.

▶ **Localiser**

4 EN PETITS GROUPES. Préparez trois devinettes sur ce modèle et posez-les aux autres groupes.

> C'est un pays d'Asie. Il se trouve au nord-est de l'Inde et à l'ouest du Japon.
> La Chine !

👤 Entraîne-toi

▶ **Parler de ses rêves**

5 Écris les rêves de chaque ado.
▶ *a. Je rêve de/Je voudrais faire le tour du monde.*

▶ **PHONÉTIQUE. Le son [ɔ̃]**

6 Écoute. Est-ce que tu entends le son [ɔ̃] comme dans *non* ?
164

▶ **Les lieux**

7 Associe.
a. Un petit fleuve, c'est une…
b. L'Atlantique et le Pacifique sont des…
c. L'Amazone est un…
d. L'Himalaya est une…
e. La Manche et la Méditerranée sont des…

1. montagne.   4. mers.
2. fleuve.   5. océans.
3. rivière.

▶ Les activités de vacances

8 Observe. On peut faire quelles activités avec ce matériel ?

a

b

c

d

e

▶ Le verbe *partir*

9 Lis le dialogue. Remplace le verbe *aller* par le verbe *partir*.

> Tu vas en vacances avec tes parents cet été ?

> Oui, nous allons à la montagne. Et vous, vous allez où ?

> Nous, on ne va pas en vacances ensemble. Moi, je vais chez mes grands-parents et mes parents vont aux États-Unis.

▶ Le futur proche

10 Transforme les phrases au futur proche.

> Je pars en vacances avec ma famille.
> > *Je vais partir en vacances avec ma famille.*

a. Vous visitez des villes d'Europe ?

b. Tu ne vas pas à la mer ?

c. Mes copains font de l'escalade.

d. Elle ne part pas en colonie de vacances.

e. Nous faisons nos valises.

▶ Les prépositions devant les noms de pays

11 Regarde la carte et décris l'itinéraire.

> *Nous faisons le tour du monde. Nous allons en Espagne…*

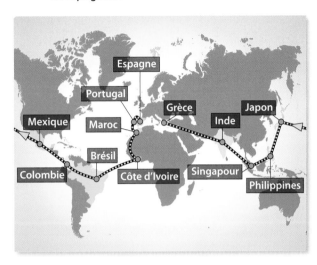

▶ Parler du temps

12 Écoute et associe les destinations au temps correspondant.

165

a. Londres b. Le Brésil c. La montagne d. La France

1.   2. 3. 4. 5.

▶ PHONÉTIQUE. Les consonnes finales muettes

13 Lis les mots. Quelles consonnes finales ne se prononcent pas ? Écoute pour vérifier.

166

a. pays
b. continent
c. désert
d. camping

e. nord
f. ouest
g. carnet

▶ Localiser

14 Regarde la carte de *Mon cours de géographie* p. 104. Puis complète avec *au nord, au sud, à l'est, à l'ouest*.

a. La mer Méditerranée se trouve … de la France.
b. Paris est…
c. Les Alpes sont…
d. L'océan Atlantique est…
e. La mer du Nord est…

Évaluation

1 **Écoute. Vrai ou faux ? Justifie tes réponses.**

.../5

a. Bastien téléphone pour dire bonjour à Marie.
b. Bastien va partir habiter dans une autre ville.
c. Bastien et sa famille vont aller dans cinq pays.

d. Marie rêve d'aller au Mexique.
e. Marie part en vacances aux États-Unis.

2 PAR DEUX.

Choisis un lieu et dis le temps de demain. Ton/Ta camarade devine où tu es.

.../5

Demain, il va pleuvoir l'après-midi…

Paris
Matin : 11°
Après-midi : 18°

Rio de Janeiro
Matin : 17°
Après-midi : 27°

Moscou
Matin : -2°
Après-midi : 0°

3 **Lis les messages et réponds.**

http://forumado.com

Destinations de rêve

Nany45 : Moi, je rêve d'aller en Australie parce que les plages sont belles ! J'adore me baigner dans l'océan et faire de la plongée !

Coco : Moi, je voudrais aller dans les pays du nord de l'Europe. J'adore la neige et le froid !

Sibylle : Moi, je voudrais aller en Inde ou en Amérique du Sud. Mais pas parce qu'il fait beau et chaud… Je voudrais faire de l'escalade et de la randonnée dans l'Himalaya et dans les montagnes de Colombie ! Ce sont mes activités préférées !

a. Associe les pseudos aux photos.

1

2

3

.../5

b. Quelles sont les activités préférées de Nany45 et de Sibylle ?

4 **Participe au forum « Destinations de rêve » (activité 3). Dis dans quel pays tu voudrais aller et donne quatre raisons.**

.../5

.../20

Prêts pour le niveau 2 ?

1 Compréhension de l'oral

Lis les questions puis écoute deux fois l'annonce à la radio. Réponds aux questions.

1. Comment peut-on participer au concours « Une destination de rêve » ? Choisis la bonne photo.

2. Qu'est-ce qu'il est nécessaire de faire pour participer au concours ?

3. Qu'est-ce qu'on peut gagner ?

4. La fin du concours est quel jour ?

   a Jeudi.   b Vendredi.   c Samedi.

 .../10

2 Compréhension des écrits ....

Tu es dans une école en France. Lis l'annonce ci-dessous affichée dans ta classe puis réponds aux questions.

VENDREDI 30 JUIN

JOURNÉE « SPORT À LA CAMPAGNE »

Rendez-vous devant le collège à 8 h 30.
Départ en bus à 9 h. Retour le soir à 18 h 45.

- Le matin, nous allons faire du canoë.
  Il est possible de se baigner dans la rivière.
  Pensez à apporter votre maillot de bain !

- Pour la randonnée, l'après-midi, portez des
  chaussures de sport.

Ne prenez pas vos affaires de classe avec vous.

1. Où est-ce que vous allez le vendredi 30 juin ?

2. Le rendez-vous devant l'école est à quelle heure ?
   a 8 h 30.
   b 9 h 00.
   c 18 h 45.

3. Quel est le programme du matin ? *(2 réponses)*

4. Pourquoi est-ce qu'il est conseillé de porter
   des chaussures de sport ?

.../10

3 ✏ Production écrite

Exercice 1 ▶ remplir un formulaire   (.../10)

Tu cherches une colonie de vacances pour adolescents. Complète cette fiche pour un organisme de vacances.

Nom	2 lieux de vacances préférés (mer ? montagne ?...)
Prénom	
Âge	2 activités que tu veux faire
Ville de résidence	
Pays de destination	Saison préférée

Exercice 2 ▶ écrire un message court   (.../15)

Tu es en colonie de vacances. Tu écris une carte postale à un(e) ami(e) français(e).
Dis où tu es, parle du temps, décris ton logement et parle des activités que tu fais.
(40 mots minimum)

(.../25)

4 💬 Production orale

Exercice 1   (... /5)

Tu te présentes. Tu parles de toi, de ta famille. Tu dis où tu habites. Tu décris ta maison.
Tu dis ce que tu fais le samedi (à quelle heure tu te lèves et tes activités).

Exercice 2   (... /5)

Pose des questions à un(e) camarade à partir des mots suivants.

| Campagne ? | Heure ? | Voyage ? | Appartement ? | Randonnée ? | Visiter ? |

Exercice 3   (.../15)

À deux. Tu montres à ton père/ta mère ta chambre de rêve sur un site Internet de meubles.
Tu expliques quels meubles tu aimes et pourquoi. Ton/Ta camarade joue le rôle de ton père/
ta mère et donne son appréciation sur les meubles.

(.../25)

(... /70)

Dico visuel

un taxi   un bus

le chocolat

un professeur

un téléphone

la radio   la télévision

un cahier   un livre

un stylo   un tableau

ÉTAPE 1

un garçon   une fille

des adolescents

un jeu vidéo

un dessin

une photo

ÉTAPE 2

un groupe (de musique)

chanter   une chanson

un chanteur   une chanteuse   jouer (d'un instrument)

écouter   télécharger   danser

Dico visuel

la famille

le grand-père   la grand-mère

le père   la mère   l'oncle   la tante

la sœur   le frère   le cousin   la cousine

les couleurs

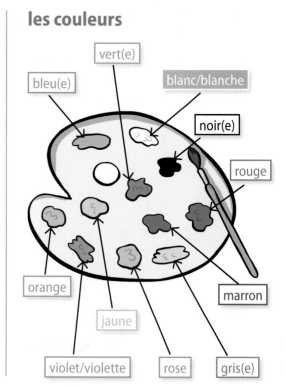

vert(e)
bleu(e)
blanc/blanche
noir(e)
rouge
orange
jaune
marron
violet/violette   rose   gris(e)

les sports

le basket

la danse

l'équitation

l'escrime

le football

le judo

la natation

le rugby

le tennis

la pétanque

le roller

le vélo

le skate

la trottinette

le corps

les cheveux

la tête

les yeux

le cœur

le bras

la main

le ventre

le dos

la jambe

le pied

la description physique

cheveux courts

blond(e)

brun(e)

cheveux frisés   cheveux longs

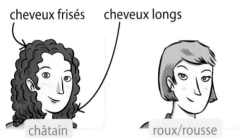

châtain

roux/rousse

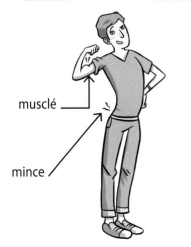

musclé

mince

les saisons

le printemps

l'été

l'automne

l'hiver

les matières scolaires

l'EPS

l'histoire

la géographie

les langues vivantes

les mathématiques

les arts plastiques

les SVT

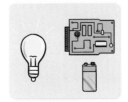

la technologie

la physique-chimie

ÉTAPE 6

les vêtements

un blouson

des chaussures

un jean

une jupe

un pantalon

un pull

une robe

un tee-shirt

les accessoires

des baskets

un bonnet

un bracelet

une casquette

une ceinture

un chapeau

une écharpe

des lunettes

les achats

une carte bleue

un prix

une montre

un sac à dos

le logement

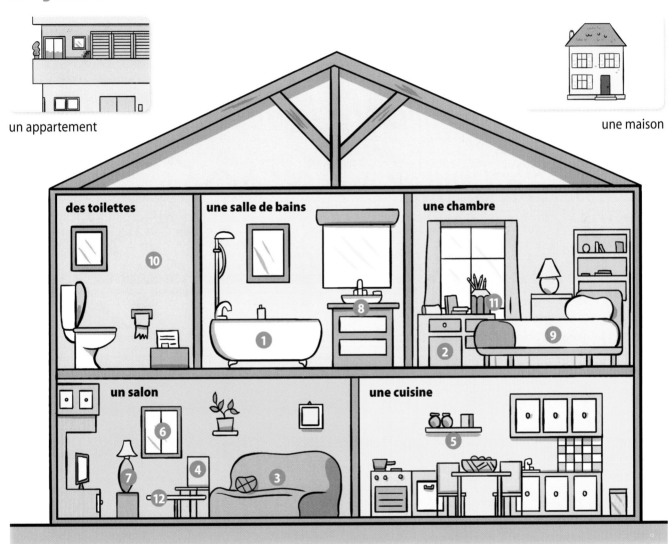

un appartement

une maison

des toilettes

une salle de bains

une chambre

un salon

une cuisine

| 1 une baignoire | 3 un canapé | 5 une étagère | 7 une lampe | 9 un lit | 11 un pot |
| 2 un bureau | 4 une chaise | 6 une fenêtre | 8 un lavabo | 10 un mur | 12 une table |

les activités quotidiennes

se lever   se laver   s'habiller   se promener   se coucher

ÉTAPE 8

les continents

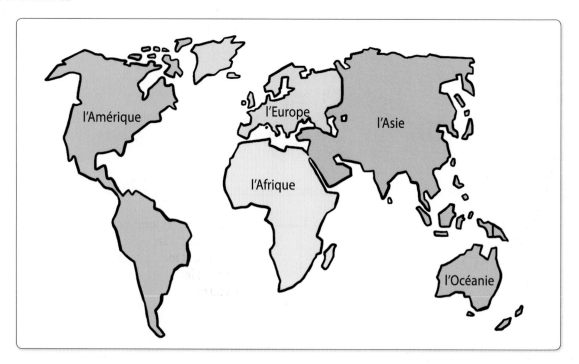

l'Amérique

l'Europe

l'Asie

l'Afrique

l'Océanie

les activités de vacances

le camping

le canoë

l'escalade

la plongée

la randonnée

la voile

la plage

se baigner

visiter

le temps

la neige

la pluie

le soleil

Les actes de parole

Pour faire connaissance

Saluer
Bonjour !
Salut !
Coucou ! (familier)
Salut, ça va ?
Bonjour, ça va, et toi ?
Ça va, et vous ? (formel)

Se présenter
Je m'appelle Mathilde.
Et toi, comment tu t'appelles ?
Moi, c'est Louis.
Mon prénom, c'est Maxime.
Mon surnom, c'est Max.
Mon nom, c'est Pelletier.

Présenter quelqu'un
Je **te** présente une amie.
Je **vous** présente mes amis.
Voici Nino.

Prendre congé
Au revoir ! • Salut ! • À demain ! • À bientôt !

Pour présenter

Présenter un objet
Qu'est-ce que c'est ?
C'est un site Internet.
Ce sont des photos.

Présenter une personne
C'est Céline Dumerc.
C'est une championne de basket.
Ce sont mes sportives préférées.

Il y a
Dans mon collège, **il y a** une cantine.
Dans mon collège, **il n'y a pas de** cantine.

Pour parler de ses goûts et de ses préférences

J'aime (bien) le rap.
J'adore la pop française.
Je suis fan de musique.
Je n'aime pas l'électro.
Je déteste les chansons en français.
Je préfère le rap.
Mon chanteur **préféré**, c'est Stromae.

Pour demander et dire l'âge

– Tu **as** quel âge ?
– J'**ai** 12 ans.

Pour parler des liens familiaux

C'est la sœur **de** Tiphaine.
Le père **de** Charlotte s'appelle Renaud.

Pour exprimer la fréquence

Je marche **tous les jours**.
Je joue au foot **le samedi**.
Je joue au foot **tous les samedis**.
Je fais du roller **le week-end**.
Je fais du roller **tous les week-ends**.

Pour décrire physiquement

Décrire la taille
Elle **est** grande.
Elle **fait** un mètre soixante-neuf.
Elle **mesure** un mètre quatre-vingt-dix.

Décrire les cheveux et les yeux
Il **est** brun.
Elle **est** frisée.
Il/Elle **a** les cheveux blonds, courts.
Il/Elle **a** les yeux bleus.

Pour dire la date et la saison

Nous sommes **le** mardi 1er (premier) septembre.
C'est **du** 23 **au** 25 janvier.
Les vacances de Noël, c'est **en** décembre.
Il y a des vacances **en** été, **en** automne, **en** hiver et **au** printemps.

Pour demander et dire l'heure

Demander l'heure
Il **est** quelle heure ?
Quelle heure il **est** ?

Les actes de parole

Dire l'heure

Il est neuf heures.

Il est neuf heures **et quart**.

Il est neuf heures **et demie**.

Il est dix heures **moins le quart**.

Il est **midi**. / Il est **minuit**.

Indiquer un horaire
J'ai cours de maths **à** neuf heures.
J'ai cours de maths **de** neuf heures **à** dix heures.

Pour situer dans le temps

Aujourd'hui	**En général**
Ce matin	**Le** matin
Ce midi	**Le** midi
Cet/Cette après-midi	**L'**après-midi
Ce soir	**Le** soir

Pour fixer un rendez-vous

Proposer
On va à la fête ensemble ?
Tu es libre vendredi ?

Répondre
Non, je ne suis pas libre.
Non, ce n'est pas possible.
Oui, d'accord / OK* !
Rendez-vous au collège à 19 heures.
À demain ! / À vendredi !

*familier

Pour parler des ressemblances

Nous avons **la même** jupe, **le même** jean, **les mêmes** vêtements.

Pour demander et dire le prix

Demander le prix
Combien ça coûte ? / Ça coûte combien ?
Combien coûte la casquette ? / Elle coûte combien ?

Dire le prix
C'est sept euros quatre-vingts.
Ça/Il/Elle coûte sept euros quatre-vingts.
C'est cher. / Ce n'est pas cher.

Pour donner une appréciation

C'est bien.	C'est à la mode.
C'est sympa.	Ces vêtements sont moches*.
C'est joli.	Ces vêtements ne sont pas beaux.

*familier

Pour téléphoner et répondre au téléphone

Pour appeler
Allô !
Bonjour, c'est Antonin.
Est-ce que je peux parler à Emma, s'il vous plaît ?
Est-ce qu'Emma est là, s'il vous plaît ?

Pour répondre
Oui, ne quitte pas.
Non, je suis désolé(e), tu peux appeler/rappeler à onze heures ?

Pour parler de ses rêves

Je **voudrais** visiter les États-Unis.
Je **rêve de** faire le tour du monde.

Pour localiser

La mer Méditerranée est **au nord du** pays.
La capitale est **à l'ouest du** pays.
Le désert est **à l'est des** montagnes.
Les montagnes sont **au sud du** pays.
Marseille est **au sud de la** France.
L'Atlas est **au centre du** pays.

Pour parler du temps

Il fait beau.	**Il fait** chaud.
Il y a du soleil.	**Il fait** froid.
Il pleut.	**Il fait** 35 degrés (35°C).
Il neige.	

Précis grammatical

Les articles indéfinis

Masculin	Féminin	Pluriel
un jean	**une** casquette	**des** jeans, **des** casquettes
un accessoire	**une** écharpe	**des** accessoires, **des** écharpes

Les articles définis

Masculin	Féminin	Pluriel
le jean (de Maxime)	**la** casquette (de Léo)	**les** jeans, **les** casquettes, **les** accessoires
l'accessoire (d'Ali)	**l'**écharpe (de Pauline)	**les** écharpes (de Maxime et d'Ali)

Les articles avec les verbes *faire* et *jouer*

Je fais **du** roller.   Je joue **du** violon.   Je joue **au** football.
Je fais **de la** danse.   Je joue **de la** flûte.   Je joue **à la** pétanque.
Je fais **de l'**équitation. Je joue **de l'**accordéon.   Je joue **aux** jeux vidéo.

Les adjectifs possessifs

Singulier		Pluriel
Masculin	Féminin	Masculin et féminin
mon oncle	**ma** tante	**mes** oncles/**mes** tantes
ton oncle	**ta** tante	**tes** oncles/**tes** tantes
son oncle	**sa** tante	**ses** oncles/**ses** tantes
notre oncle/**notre** tante		**nos** oncles/**nos** tantes
votre oncle/**votre** tante		**vos** oncles/**vos** tantes
leur oncle/**leur** tante		**leurs** oncles/**leurs** tantes

 ma/ta/sa devant une voyelle ou un *h* → **mon/ton/son** : mon amie/ton amie/son amie, mon histoire/ton histoire/son histoire

Les adjectifs démonstratifs

Masculin	Féminin	Pluriel
ce bonnet	**cette** casquette	**ces** bonnets
cet accessoire	**cette** écharpe	**ces** casquettes
		ces accessoires, **ces** écharpes

Le féminin des adjectifs
En général, le féminin des adjectifs = masculin + **-e**.

Masculin	Féminin
Il est important.	Elle est importante.
Il est drôle.	Elle est drôle.

 Il y a des exceptions : Il est beau / nouveau. → Elle est belle / nouvelle.

Le pluriel des adjectifs

En général, les adjectifs prennent un **-s** au pluriel.

Singulier	Pluriel
important / importante	important**s** / importante**s**
drôle	drôle**s**

 Il y a des exceptions : Ils sont beau**x** / nouveau**x**.

Les adjectifs de nationalité

Singulier		Pluriel
Masculin	Féminin	
Il est espagno**l**	Elle est espagno**le**	Les adjectifs de nationalité prennent un **-s**.
mexic**ain**	mexic**aine**	Ils sont espagnol**s**.
chin**ois**	chin**oise**	Elles sont espagnole**s**.
japon**ais**	japon**aise**	
ivoir**ien**	ivoir**ienne**	⚠ Il est chinois / japonais.
alleman**d**	alleman**de**	→ Ils sont chinois / japonais.
russ**e**	russ**e**	
gre**c**	gre**cque**	
tur**c**	tur**que**	

Le féminin et le pluriel des adjectifs de couleur

En général, les adjectifs de couleur prennent un **-e** (ou gardent le **-e**) au féminin et un **-s** au pluriel.

Masculin	Féminin	Pluriel
vert	vert**e**	vert**s**/vert**es**
gris	gris**e**	gris/gris**es**
bleu	bleu**e**	bleu**s**/bleu**es**
noir	noir**e**	noir**s**/noir**es**
roug**e**	roug**e**	roug**es**
jaun**e**	jaun**e**	jaun**es**
ros**e**	ros**e**	ros**es**

⚠ Masculin	Féminin	Pluriel
violet	violette	violets/violettes
blanc	blanche	blancs/blanches
marron	marron	marron
orange	orange	orange

Les pronoms

Les pronoms personnels sujets

Ils s'utilisent devant un verbe conjugué.

Singulier

première personne	**Je/J'** (devant une voyelle ou un *h*)
deuxième personne	**Tu**
troisième personne	**Il/Elle/On** (*on = nous* ou *les gens*)

Pluriel

première personne	**Nous**
deuxième personne	**Vous**
troisième personne	**Ils/Elles**

Les pronoms toniques

Ils s'utilisent seuls ou avec une préposition (**pour**, **de/d'**, **avec**, **chez**…).

Singulier	Pluriel
Moi	Nous
Toi	Vous
Lui/Elle	Eux/Elles

Moi, j'ai une correspondante anglaise. Je parle anglais avec **elle**.

Le présent des verbes en -er

Radical du verbe + terminaisons
Danser + -e, -es, -e, -ons, -ez, -ent

Je dans**e**
Tu dans**es**
Il/Elle/On dans**e**
Nous dans**ons**
Vous dans**ez**
Ils/Elles dans**ent**

Les verbes pronominaux

	pronom	+ forme verbale
	se	préparer
Je	**me**	prépare
Tu	**te**	prépares
Il/Elle/On	**se**	prépare
Nous	**nous**	préparons
Vous	**vous**	préparez
Ils/Elles	**se**	préparent

⚠ **me/te/se** devant une voyelle ou un *h* → **m'/t'/s'** : je m'habille, tu t'habilles, il/elle/on s'habille, ils/elles s'habillent.

L'impératif

	Présent	Impératif
Verbes en -er	Tu organis**es** ton bureau. Nous organisons notre bureau. Vous organisez votre bureau.	**Organis**e ton bureau ! **Organisons** notre bureau ! **Organisez** votre bureau !
Autres verbes	Tu fais de la place sur ton bureau. Nous faisons de la place sur notre bureau. Vous faites de la place sur votre bureau.	**Fais** de la place sur ton bureau ! **Faisons** de la place sur notre bureau ! **Faites** de la place sur votre bureau !

Le futur proche

Verbe aller au présent + **infinitif** du verbe

Je vais ⎫
Tu vas ⎪
Il/Elle/On va ⎬ **partir**
Nous allons ⎪
Vous allez ⎪
Ils/Elles vont ⎭

⚠ Forme négative : Je **ne** vais **pas** partir.

La phrase affirmative

J'aime <u>les</u> chansons en français.
Je déteste <u>la</u> pop.
J'ai <u>un</u> frère.
J'ai <u>deux</u> oncles.

La phrase négative

Je **n'**aime **pas** <u>les</u> chansons en français.
Je **ne** déteste **pas** <u>la</u> pop.
Je **n'**ai **pas de** frère.
Je **n'**ai **pas d'**oncle.

⚠ **Ne** devant une voyelle → **n'**.

La phrase interrogative

	Question	Réponse
Question intonative	– Tu fais du sport ?	– Oui. / Non.
Avec *est-ce que*	– **Est-ce que** tu fais du sport ?	

	Question	Réponse
Question intonative	– Tu fais **quoi** ?	– Je fais mes devoirs.
Avec *est-ce que*	– **Qu'est-ce que** tu fais ?	

	Question	Réponse
Question intonative	– **Pourquoi** tu aimes la récréation ?	– **Parce que** je parle avec mes copains !
Avec *est-ce que*	– **Pourquoi est-ce que** tu aimes la récréation ?	

Précis grammatical

	Question	Réponse
Question intonative	– C'est **où** ?	– C'est au gymnase.
Avec *est-ce que*	– **Où est-ce que** c'est ?	

	Question	Réponse
Question intonative	– Tu es libre **quand** ?	– Je suis libre à dix heures.
Avec *est-ce que*	– **Quand est-ce que** tu es libre ?	

La question avec *quel*

Quel + nom masculin singulier
Quelle + nom féminin singulier
Quels + nom masculin pluriel
Quelles + nom féminin pluriel

Je peux porter **quel** vêtement ?
Je peux acheter **quelle** marque ?
Je peux porter **quels** vêtements ?
Je peux acheter **quelles** marques ?

Les prépositions

Les prépositions de lieu

● Pour dire le lieu où on est, où on va :

à la + nom féminin
à l' + nom commençant par une voyelle
au (= article contracté *à* + *le*) + nom masculin
aux (= article contracté *à* + *les*) + nom pluriel

Je suis / Je vais **à la** fête du collège.
Je suis / Je vais **à l'**aquarium.
Je suis / Je vais **au** club jeux.
Je suis / Je vais **aux** activités.

● Pour localiser dans l'espace :

Il y a des livres **dans** la chambre.

Il y a un livre **à côté** de la table.

Il y a un livre **à côté** du lit.

Il y a un livre **sur** la table.

Il y a un livre **à côté** des étagères.

Il y a un livre **sous** la table.

⚠ **du** = article contracté *de* + *le*
des = article contracté *de* + *les*

● **Chez** + nom de personne/pronom tonique :

| **Chez** moi | **Chez** lui, chez Victor, chez elle, chez Coralie | **Chez** vous |
| **Chez** toi | **Chez** nous | **Chez** eux, chez elles, chez Victor et Coralie |

Les prépositions devant les noms de pays ou de villes

au + nom de pays masculin
en + nom de pays féminin ou commençant par une voyelle
aux + nom de pays pluriel
à + une île ou une ville

Je suis / Je vais **au** Maroc.
Je suis / Je vais **en** Grèce.
Je suis / Je vais **aux** États-Unis.
Je suis / Je vais **à** Madagascar / **à** Paris.

⚠ En général, les noms de pays féminins se terminent par **-e**.
Exceptions : Le Mexique, le Cambodge, le Mozambique, le Zimbabwe, le Belize.

Tableau de conjugaisons

	Présent	Impératif	Futur proche
S'appeler	Je m'appelle Tu t'appelles Il/Elle/On s'appelle Nous nous appelons Vous vous appelez Ils/Elles s'appellent	Appelle-toi Appelons-nous Appelez-vous	Je vais m'appeler Tu vas t'appeler Il/Elle/On va s'appeler Nous allons nous appeler Vous allez vous appeler Ils/Elles vont s'appeler
Être	Je suis Tu es Il/Elle/On est Nous sommes Vous êtes Ils/Elles sont	Sois Soyons Soyez *(= irrégulier)*	Je vais être Tu vas être Il/Elle/On va être Nous allons être Vous allez être Ils/Elles vont être
Avoir	J'ai Tu as Il/Elle/On a Nous avons Vous avez Ils/Elles ont	Aie Ayons Ayez *(= irrégulier)*	Je vais avoir Tu vas avoir Il/Elle/On va avoir Nous allons avoir Vous allez avoir Ils/Elles vont avoir
Danser	Je danse Tu danses Il/Elle/On danse Nous dansons Vous dansez Ils/Elles dansent	Danse Dansons Dansez	Je vais danser Tu vas danser Il/Elle/On va danser Nous allons danser Vous allez danser Ils/Elles vont danser
Faire	Je fais Tu fais Il/Elle/On fait Nous faisons Vous faites Ils/Elles font	Fais Faisons Faites	Je vais faire Tu vas faire Il/Elle/On va faire Nous allons faire Vous allez faire Ils/Elles vont faire
Aller	Je vais Tu vas Il/Elle/On va Nous allons Vous allez Ils/Elles vont	Va Allons Allez	Je vais aller Tu vas aller Il/Elle/On va aller Nous allons aller Vous allez aller Ils/Elles vont aller
Pouvoir	Je peux Tu peux Il/Elle/On peut Nous pouvons Vous pouvez Ils/Elles peuvent		Je vais pouvoir Tu vas pouvoir Il/Elle/On va pouvoir Nous allons pouvoir Vous allez pouvoir Ils/Elles vont pouvoir
Venir	Je viens Tu viens Il/Elle/On vient Nous venons Vous venez Ils/Elles viennent	Viens Venons Venez	Je vais venir Tu vas venir Il/Elle/On va venir Nous allons venir Vous allez venir Ils/Elles vont venir
Partir	Je pars Tu pars Il/Elle/On part Nous partons Vous partez Ils/Elles partent	Pars Partons Partez	Je vais partir Tu vas partir Il/Elle/On va partir Nous allons partir Vous allez partir Ils/Elles vont partir

Photo de couverture : Shutterstock.

ÉTAPE 0

p. 8 a : le petit Prince © Éditions Gallimard – **Fotolia** b © Mstudio ; d homme 1 © iko ; homme 2 © Gino Santa Maria ; f ASTERIX®-OBELIX® / © 2015 LES ÉDITIONS ALBERT RENÉ / GOSCINNY - UDERZO – **p. 9 Fotolia** tasse de café © lefebvre_jonathan ; sandwich © stevem ; restaurant © Adam Wasilewski ; terrasse de café © HappyAlex ; football © Marina Lohrbach – **p. 10 Fotolia** c cahier © Björn Wylezich.

ÉTAPE 1

p. 11 Corbis fond © Mother Image/Caitie McCabe – **p. 14** photos 1, 2, 3, 4 et 5 : Photo'up – **p. 15** photo 3 fond : Photo'up – **p. 17** dessin c © Matthias Enter – **p. 18** couverture *Le Malade imaginaire* © Hachette Livre, collection « Bibliocollège » – couverture *Les Bijoux de la Castafiore* © Hergé/Moulinsart 2015 – **Corbis** Tony Parker © Paul J. Sutton/Duomo ; Coco Chanel © Horst P. Horst/Condé Nast Archive – **Getty** Thierry Dusautoir © Sandra Mu/Intermittent ; modèles Chanel © Popperfoto/Contributeur – **Leemage** Hergé © Jean Pol Stercq/Opale – **p. 19** Titeuf (T10 à 13) © Zep/Glénat – **Corbis** Stromae © Stephane Cardinale/People Avenue – **Getty** Stromae © Johnny Nunez – **Leemage** Zep © Hannah Assouline/Opale.

ÉTAPE 2

p. 23 Corbis groupe de musique © Kevin Dodge – **p. 26** d album photo © Jacek Chabraszewski – **p. 28 Getty** Maître Gims © Foc Kan/Contributeur – **p. 30 Corbis** Zaz © Lutz Müller-Bohlen/dpa ; David Guetta © Laurent Gillieron/epa ; Phoenix © Matthias Clamer/Corbis Outline – **Getty** Daft Punk © Tim Mosenfelder/Contributeur.

ÉTAPE 3

p. 37 Getty fond © Brand New Images ; famille © Tony Anderson – **p. 38** *Fais pas ci, fais pas ça* © AB Production/FTV – **p. 39 Corbis** document 3, 10e photo © Ansgar Photography – **p. 40** Flore et Marie : Photo'up – **Photononstop** Valentin © ONOKY ; carte de la Guadeloupe © UIG – **p. 41** Flore, Marie et leurs amis : Photo'up.

ÉTAPE 4

p. 51 photos document 3 : Photo'up – **p. 52 Fotolia** dessins activité 2 © Kamiya Ichiro – **p. 53 Fotolia** vélo © steamroller – **p. 54 Corbis** Jeux olympiques © Andy Rain/epa – **Getty** Isabelle Yacoubou © Jesse D. Garrabrant/Contributeur – **p. 55 Corbis** Samir Nasri © BPI/Paul Greenwood/BPI ; Richard Gasquet © Tim Clayton/Tim Clayton – **p. 56 Fotolia** skate-board © bonninturina ; BMX © Attltibi – **p. 56 Fotolia** activité 4, photo a © Carlos Santa Maria.

VERS LE DELF A1

p. 62 Getty rugby © Getty J and J Productions.

ÉTAPE 5

p. 64 Corbis activité 1, photo 4 © Aleksander Rubtsov/Blend Images – **p. 70** 1 © MCC/Polysémique ; 2 © Jour de la Terre ; 3 © Fête de la Musique/Michel Bouvet ; 4 © Ministère de l'Éducation nationale, de l'Enseignement supérieur et de la Recherche ; 5 © Loisirs numériques – **p. 71 Getty** fille à la caméra © Digital Vision.

ÉTAPE 6

p. 75 Getty fond © Fuse – **p. 80** 3 garçons : Photo'up – **p. 81 Fotolia** mon cours d'arts plastiques 1 © shotstudio ; 2 © kamenuka ; 3 © juwi1992 – **p. 82 Getty** 1945 © Peter Stackpole – **p. 83 Bridgeman** 1780 © De Agostini Picture Library/G. Dagli Orti – **Getty** 1920 © Sasha – **p. 86 Fotolia** bonnet bicolore © vitalily_73.

ÉTAPE 7

p. 89 Getty bureau © Johner Images ; lit © gerenme ; maison © Rachel Lewis – **p. 96 Corbis** maison Dutel © Chris Hellier – **Leemage** Maison-atelier © Deidi von Schaewen/Artedia – **Photononstop** Maison Picassiette © Stéphane Ouzounoff ; Palais idéal du facteur Cheval © Mauritius.

ÉTAPE 8

p. 102 logo document 1 © Ville de Nantes/région Pays de la Loire – **p. 108** Paris © Gilles Biassette/*La Croix* – **p. 110** exercice 5, e © fabioderby.

VIDÉO SÉQUENCE 2, *MUSIQUE !*

Gamma Rapho Pharrell Williams © Leelou ; AC/DC © Ian Dewsbury/CAMERAPRESS – **Getty** Black M © David Wolff-Patrick/Contributeur ; Zaz © Frank Hoensch/Contributeur ; Shakira © Michael Tran ; Stromae © Chelsea Lauren ; David Guetta © Foc Kan ; Michael Jackson © Kevin Mazur ; Soprano © David Wolff-Patrick – **Rue des archives** The Beatles © RDA2 – **Sipa** Louane © David Niviere/NMA2016.

Autres photos : Shutterstock.

Achevé d'imprimer en Italie par L.E.G.O. S.p.A. Lavis
Dépôt légal : février 2018 - Collection n° 60 - Édition 07
19/1572/5